修 編 序

　　有些人，為了讓小孩學英文，就把小孩從小送到國外，當小留學生，家長以為這個小孩將來中文和英文都會很好，可以當翻譯，可以教書，或在事業上能夠大展鴻圖。事實上，小留學生到了國外，忽視了中文和中國文化，即使在美國讀書時，再重視英文，也很難學得像美國人那麼好，到頭來，中文不好，英文也不精通。

　　英文太難了，尤其是特殊的句子，平常少見到，不追根究底，永遠學不好。例如在 p.360，One more effort, and you will succeed. 沒有學過文法的人，看了這個句子就傻眼，不敢背、也不敢模仿，查閱「文法寶典」後，就會明白：

　　　　「祈使句＋and」的句型中，有時可以省略動詞。

　　One more effort, and you will succeed.
　　= *Make one more effort*, and you will succeed.
　　= *If you make one more effort*, you will succeed.

　　凡是你聽到外國人說的話，或你看到的文章，覺得和你的想法不同時，就需要查閱「文法寶典」，找出原因，英文才會進步。當你聽到外國人說：I got to go now. 為什麼用過去式呢？「文法寶典」p.330 就會告訴你，原來「過去簡單式」有時還可以代替「現在式」。

　　I got to go now.【最常用】【got to 應唸成 gotta〔ˋgɑtə〕】
　　= I've got to go now.【常用】　　　（詳見「一口氣英語②」p.1-7）
　　= I have to go now.【常用】

　　你看，文法學得不完全，多麼可怕！並不是過去式一定用過去式動詞，並不是現在式一定完全用現在式動詞，這些例外的地方，在「文法寶典」都可以查得到。

　　人類說話變化無窮，寫的文章也是變化無窮，能夠變成文法規則，給人家學語言，真是不簡單。永遠記住，先有語言、文字，才有文法規則。有些人學了文法，看到了外國人寫的文章，說他寫錯了，外國人也常說錯，因為英文很難，但是，好的文章，不合乎你所熟悉

的文法規則時，就是文法中最精彩的部分。例如，補教名師王慶銘老師曾問到，a dream come true 文法上到底怎麼解釋？為什麼 come 不加 s 呢？這個在「世紀文法大講座」中有提到，a dream come true（夢想成真）為慣用語，是名詞片語。

a dream come true

= *a dream that comes true*

= *a dream coming true*

所以，很多慣用語或慣用句，都沒辦法用文法來解釋。人類的語言，不見得所有的都能歸納成規則。無法用文法解釋的句子，就是慣用句。

很多學生問「附加問句」的問題，往往一個「附加問句」，有一部分人說 A，另一部分的人說 B，甚至接近百分之五十，美國的語言學家，在課堂上討論了半天，說哪個對、哪個錯。例如建中的考題，同學常常問：

1. I believe that he is the best student, _____?
   (A) isn't he　　(B) don't I　　(C) do I　　(D) is he

2. I believed that he was the best student, _____?
   (A) wasn't he　　(B) didn't I　　(C) did I　　(D) was he

「附加問句」不一定是以主要子句為主，而是以主要思想為主，想通這一點，什麼「附加問句」的題目都會做，答案在「世紀文法大講座」的第 47、48 題，及「文法寶典」p.7「附加問句的作法」中，有詳細的說明。文法規則永遠跟著人類的語言思想走，而不是硬梆梆的，一成不變。

用文法來造句很危險，文法對，並不一定適合美國人的習慣。想把英文學好，最簡單的方法，就是背「一口氣英語」和「一口氣英語演講」。背了一千多個正確的句子，說起來有信心；背了 20 篇英語演講，背到變成直覺，就可以重新排列組合成新的演講。

當讀者碰到任何文法上的疑難雜症，如果在「文法寶典」上找不到，請告訴我們，以便再版時修訂。

劉　毅

如何學英文文法

　　全世界那麼多人，為了學習英文，都花費了很大的功夫，研究出一句英文只有一個主要動詞，用歸納法分成「五大基本句型」，又根據句型，把動詞分成「及物」、「不及物」，再分成「完全及物」和「不完全及物」、「完全不及物」和「不完全不及物」。其實，「五大基本句型」只要用一種句型，就可以全部涵蓋，即「主詞＋動詞＋受詞／補語」。英文以動詞為核心，我們說動詞的主詞、動詞的受詞，動詞使得句意不完全，就要接補語。主詞、動詞、受詞、補語，就和數學的加、減、乘、除一樣，可造出無限多的句子。原則上，一個句子只能有一個動詞，句意不完全，就要加主詞、受詞，或補語，如果需要修飾，就要加修飾語。只要是能表達完整思想、正常人說出的正常話，就是正確的句子。

　　有些人學了文法，用中文思想來造句，非常危險：

例如：*Do you like here?*（誤）應改成：Do you like it here?（正）【因為 like 是
　　　　及物動詞，here 在此是副詞，it 相當於 life 或 being。】_{副詞}

或改成：Do you like this place?（正）

here, there 當名詞時，是指一個點（a point in space），而不是一個地方，像
bookstore（書店）。例如：

Let's get out of here.（我們離開這裡吧。）
　　　　　　　　名詞

He lives near here.（他住在附近。）
　　　　　　　名詞

It's cold in here.（這裡很冷。）
　　　　　　名詞

I shall leave here the day after tomorrow.（我後天離開此地。）
　　　　　　　名詞

你看，如果你不知道 **here** 當名詞和當副詞的區別，就會寫出 *Do you like here?* 這種錯誤
的句子。再例如：　　中文：貓和狗都是動物。

英文：*Cats and dogs are all animals.*（誤）
　　　 Cats and dogs are ***both*** animals.（正）

中國人習慣說「貓和狗都是動物。」英文的思想卻是「貓和狗兩者都是動物。」兩者要用
both，三者以上，才用 all，如：Cats, dogs and birds are ***all*** animals. 一講大家都知道，
但是一翻譯，就往往會受到中文思想的影響，中國人誰會說「兩者都是」呢？

　　英語分成「口說英語」和「書寫英語」。「書寫英語」比較正式、嚴肅，「口說英語」
往往簡化。如美國人常說的：Great to see you.（很高興見到你。）跟你平常所學的文法
不一樣，少了主詞和動詞，是 It's great to see you. 的省略。文法學得不完全，你聽到的
英文，和你所學的不一樣，就會產生矛盾。好在我們已經出版了「一口氣英語①～⑫」，
加上「教師一口氣英語」，共十三本，所有重要的「口說英語」，在書中都有詳細的說明。

　　以前剛到美國讀書，聽到美國人說："I'm done."（我吃完了。）由於文法學得走火入
魔，還認為美國人說錯。凡是我們在日常生活中，碰到與我們所學的文法不同的地方，就
可以查閱「**文法寶典**」或「**一口氣英語**」，才能舉一反三，增加信心。

「文法寶典」中的紅色字體或套
紅部分，是最精華的部分。平常碰到
文法上的難題，大多可在紅色部分中
找到。

CONTENTS

第六篇　動　詞（Verbs）

第一章　動詞的種類（Classes of Verbs）

I. 定義：表示動作或狀態的詞類被稱爲動詞。

【例】　The dogs **ran** and **jumped**.（這些狗又跑又跳。）
　　　　　　　動作　　　　動作

　　　　I **am** happy.（我快樂。）
　　　　　狀態

II. 分類：

(I) 依有無受詞或補語分類	1. 不 及 物 動 詞（Intransitive Verb）	(1) 完全不及物動詞（Complete Intransitive Verb）
		(2) 不完全不及物動詞（Incomplete Intransitive Verb）
	2. 及 物 動 詞（Transitive Verb）	(1) 完全及物動詞（Complete Transitive Verb）
		(2) 不完全及物動詞（Incomplete Transitive Verb）
		(3) 授與動詞（Dative Verb）
(II) 依是否受主詞的人稱和數的限制而分類	1. 限定動詞（Finite Verb）	
	2. 非限定動詞（Non-finite Verb）	
(III) 依在動詞群中的位置而分類	1. 主（本）動詞（Main or Principal Verb）	
	2. 助動詞（Auxiliary Verb）	

1. 依有無受詞或補語分類：

⑴ **完全不及物動詞（Complete Intransitive Verb）：沒有受詞，也無需補語。**

　　其句型爲 **S + V**（此種動詞不需要受詞，也不需要補語，便能表達完全的思想，所以稱爲完全不及物動詞。）

　　Horses run.（馬會奔跑。）
　　　S　　V

　　What he said does not matter.（他所說的無關緊要。）
　　　　　S　　　　　　　V

　　It seems that Mr. Smith is in debt.（史密斯先生似乎有欠債。）【It 是形式主詞】
　　S　seems　　　　S

　　It (so) happened that we were out.（恰巧我們不在家。）
　　S　　　V　　　　　S

　　There came a knocking at the door.（有人敲門了。）（參照 p.5）
　　　　　V　　　S　　　　修飾語

⑵ **不完全不及物動詞（Incomplete Intransitive Verb）：沒有受詞，但有主詞補語。**

其句型爲 **S + V + SC**（此種動詞雖然沒有受詞，但一定要有補語，非對主詞加以補充說明不可，這種雖然不及物，但思想表達不完全的動詞，稱爲不完全不及物動詞。）(參照 p.14)

He looks tired.（他看起來疲倦。）
　S　　V　　SC

She became a poet.（她成爲一位詩人。）
　S　　V　　　SC

【註1】 此類動詞有無數個，通常包括：

　　① be 動詞（am, are, is…）（是）用來表狀態
　　　 She *is* a nurse.（她是位護士。）

　　② seem, appear, look（看起來像…）
　　　 He *seems* happy.（他看起來很高興。）

　　③ keep, remain（保持，依然）用來表態度
　　　 She *kept* silent.（她保持沉默。）

　　④ smell, feel, taste, sound（這些是感官動詞）
　　　 The rose *smells* sweet.（這玫瑰聞起來很香。）

　　⑤ become, get, grow, come, go, turn, fall（漸漸變成…）
　　　 He *grew* rich little by little.（他漸漸變得富有。）

　　⑥ prove, turn out（證實，結果成爲）
　　　 The rumor *proved* true.（這謠言證實是眞的。）
　　　 The plan *turned out* a failure.（這計劃結果失敗了。）

【註2】 **不完全不及物動詞 grow 和 get 的進行式不表「正在…」之意，而表「漸漸…」。**
　　The weather *is getting* cold.（天氣漸漸寒冷了。）
　　Her hair *is growing* white.（她的頭髮逐漸變白了。）

【註3】 **seem, appear, continue, prove, turn out, come 與主詞補語間的 to be 有無均可。**
　　Her hobby **seems** (*to be*) interesting.
　　（她的嗜好似乎很有趣。）
　　I don't know how he **turned out** (*to be*) so lazy.
　　（我不知道他怎麼變得如此懶惰。）

【註4】 同一不及物動詞有時做完全不及物動詞，有時做不完全不及物動詞。
　　Joseph **turned** when his father called him.【完全不及物】
　　（當約瑟夫的父親叫他時，他就轉過身來。）
　　Mrs. Smith **turned** white when she saw the car accident.【不完全不及物】
　　（當史密斯太太看到車禍時，臉都白了。）

　　We thought he would come, but he never **appeared**.【完全不及物】
　　（我們以爲他會來，但是他一直沒有出現。）
　　He **appeared** quite astonished.【不完全不及物】
　　（他似乎十分驚訝。）

⑶ **完全及物動詞（Complete Transitive Verb）**：須有受詞，無補語。

其句型爲 **S + V + O**（此種動詞只要接受詞，便能表達完全的思想，所以稱爲完全及物動詞。）

I like music.（我喜歡音樂。）
S　V　　O

The child broke the bottle.（小孩打破了瓶子。）
　　S　　　V　　　　O

He doesn't know <u>what to do</u>.（他不知道該怎麼辦。）
S　　　V　　　　　O

【註 1】有些不及物動詞 + 介系詞 = 及物動詞

I **called on** my uncle last Sunday.（我上星期日去拜訪我叔叔。）
= I **visited** my uncle last Sunday.

He **looked at** the dog for a long time.（他看這隻狗看了很久。）
= He **watched** the dog for a long time.

We **thought of** having a picnic.（我們考慮去野餐。）
= We **considered** having a picnic.

【註 2】及物動詞的動作若及於某人**身體的某一部分**，依照英語的習慣用法，應該用：

動詞 + 某人 + 介詞 + the + 人身體的某一部分

He **kissed the queen on the hand** to show his respect.
（他吻了女王的手以示尊敬。）

He **grabbed the drunkard by the arm** and pushed him out of the room.
（他抓住酒鬼的手臂，把他推出房間。）

He **took her by the hand** and they walked to the Palace Museum.
（他牽著她的手，走向故宮博物院。）

【註 3】同一動詞有時做完全不及物動詞，有時做完全及物動詞。

Man can **speak**.（人會說話。）【完全不及物】
This man can **speak** French very well.【完全及物】
（這個人法文說得很好。）

Some people neither **borrow** nor **lend**.【完全不及物】
（有些人不借亦不貸。）
Mr. Carter always **borrows** money from his sister.【完全及物】
（卡特先生總是向他姊姊借錢。）

⑷ **不完全及物動詞（Incomplete Transitive Verb）**：須有受詞，還要有受詞補語。

其句型爲 **S + V + O + OC**（此種動詞雖然及物，但思想仍然表達不完全，非要有補語對受詞加以補充說明不可，所以稱爲不完全及物動詞。）(參照 p.15)

We elected him our leader.（我們選他做領袖。）
S　V　　O　　OC

I found the story amusing.（我覺得這個故事很有趣。）
S　V　　O　　OC

【註 1】此類動詞有無數個，通常包括：

① 「想；考慮」型：think, believe, suppose, find, consider

We *considered* him (*to be*) honest.（我們認爲他是誠實的。）

② 「呼叫」型：call, name, declare, admit

　　They ***named*** the child John. (他們給這個孩子取名叫約翰。)

③ 「使」型：keep, leave

　　I will ***leave*** the door open. (我會把門開著。)

④ 「希望」型：want, wish

　　He ***wished*** himself dead. (他但願自己已死。)

⑤ 「強迫使役」型：make, compel, have

　　I will ***have*** my hair cut. (我要去剪頭髮。)

⑥ 「感官」型：see, hear, feel

　　I ***heard*** someone laughing. (我聽見有人在笑。)

【註 2】 believe, confess, consider, declare, fancy, feel, find, imagine, prove, suppose, suspect, think 之後的**受詞補語為 "to be…"** 時，**其中的 to be 經常省略**。

　　He ***thinks*** himself (*to be*) a scholar. (他自以為是學者。)

　　I ***consider*** the matter (*to be*) of great importance. (我認為這件事是非常重要的。)

(5) **授與動詞**（**Dative Verb**）：完全及物動詞中，需要兩個受詞者稱為授與動詞。兩個受詞中**指物的叫直接受詞（DO），指人的叫間接受詞（IO）**。

　　句型有二為：A：**S + V + IO + DO**

　　　　　　　　B：**S + V + DO + Prep. + IO** (實屬第三種句型 S + V + O + 修飾詞)

① **介詞用 to 的動詞有**：give, lend, bring, show, tell, write, send, hand, teach, offer, sell, promise, pass 等。

　　He gave me a watch. (他給我一只錶。)
　　　S　V　IO　DO
　　He gave a watch **to** me. 【加強直接受詞 watch 的語氣】
　　　S　V　　DO　　IO

　　She writes me a letter every other week. (她每隔一週寫一封信給我。)
　　　S　　V　IO　DO
　　She writes a letter **to** me every other week.
　　　S　　V　　DO　　IO

② **介詞用 for 的動詞有**：buy, make, leave, do (= give)，choose, order, sing 等。

　　A boy scout must do someone a good deed every day. (一個童子軍必須日行一善。)
　　　　　　　　　S　　V　IO　　　DO
　　A boy scout must do a good deed **for** someone every day.
　　　　　　　　　S　　V　　DO　　　IO

　　She sang me a song. (她為我唱一首歌。)
　　　S　V　IO　DO
　　She sang a song **for** me.
　　　S　V　　DO　　IO

③ **介詞用 of 的動詞有**：ask

　　I will ask him a question. (我會問他一個問題。)
　　　S　　V　IO　　DO
　　I will ask a question **of** him.
　　　S　　V　　DO　　IO

$$\begin{cases} \text{May I ask you a favor?（我可以請你幫個忙嗎？）} \\ \quad\quad\text{S}\ \text{V}\ \text{IO}\quad\text{DO} \\ \text{May I ask a favor \textbf{of} you?} \\ \quad\quad\text{S}\ \text{V}\quad\text{DO}\quad\text{IO} \end{cases}$$

④ 其他有用介系詞 at, against, on 的授與動詞，如 throw, bear, play 等。

$$\begin{cases} \text{The naughty \underline{boy} \underline{threw} \underline{the bird} \underline{a stone}.（這頑皮的男童投石子打鳥。）} \\ \quad\quad\quad\quad\ \text{S}\quad\text{V}\quad\text{IO}\quad\text{DO} \\ \text{The naughty \underline{boy} \underline{threw} \underline{a stone} \textbf{at} \underline{the bird}.} \\ \quad\quad\quad\quad\ \text{S}\quad\text{V}\quad\text{DO}\quad\text{IO} \end{cases}$$

$$\begin{cases} \text{The \underline{thief} \underline{bears} \underline{the policeman} \underline{a grudge}.（小偷懷恨警察。）} \\ \quad\quad\text{S}\quad\text{V}\quad\text{IO}\quad\text{DO} \\ \text{The \underline{thief} \underline{bears} \underline{a grudge} \textbf{against} \underline{the policeman}.} \\ \quad\quad\text{S}\quad\text{V}\quad\text{DO}\quad\text{IO} \end{cases}$$

$$\begin{cases} \text{The \underline{rascal} \underline{played} \underline{the girl} \underline{a mean trick}.（流氓向那女孩耍卑鄙的手段。）} \\ \quad\quad\text{S}\quad\text{V}\quad\text{IO}\quad\text{DO} \\ \text{The \underline{rascal} \underline{played} \underline{a mean trick} \textbf{on} \underline{the girl}.} \\ \quad\quad\text{S}\quad\text{V}\quad\text{DO}\quad\text{IO} \end{cases}$$

【註1】　有些授與動詞僅適用於上述第一種句型，如 **answer, envy, forgive** 等。

I always **envy** you your good fortune.（我一直都羨慕你的好運。）

God, **forgive** us our sins.（上帝，請原諒我們的罪過。）

【註2】　① 間接受詞為名詞，**直接受詞為人稱代名詞時，該先提直接受詞。**

$$\begin{cases} \text{I'll give \textit{your sister them}.【誤】} \\ \text{I'll give them to your sister.【正】} \end{cases}$$

② 間接受詞與直接受詞均為人稱代名詞時，**先提直接受詞較普遍。**

$$\begin{cases} \text{I'll give you them.【正】} \\ \text{I'll give them to you.【較普遍】} \end{cases}$$

③ 間接受詞為人稱代名詞，直接受詞為 it，**先提哪一個都可，且 to 可省。**

$$\begin{cases} \text{Give me it.【正】} \\ \text{Give it } \begin{cases} \text{to me.【美】} \\ \text{me.【英】} \end{cases}【正】 \end{cases}$$

【註3】　有些動詞之後的間接受詞（**IO**）和直接受詞（**DO**）間要有介系詞〔此種句型實屬於 S + V + O +（修飾語）即第三類句型〕，以下係此類句型常用的動詞：

①
accuse（控告）	deprive（剝奪）	warn（警告）
acquit（宣告無罪）	inform（通知）	rob（搶）
cheat（欺騙）	notify（通知）	remind（提醒）
convict（定罪）	suspect（懷疑）	relieve（減輕）
cure（治療）	persuade（說服）	ease（減輕）
convince（使相信）	strip（剝奪）	rid（除去）

＋人＋ of ＋事，物

They *robbed* me *of* my watch.（他們搶走我的手錶。）

They *accused* him *of* having committed a crime.（他們控告他犯罪。）

= He *was accused of* having committed a crime (*by them*).

②
ask（要求）	forgive（原諒）	punish（處罰）
blame（責備）	reward（獎賞）	praise（稱讚）
excuse（原諒）	search（尋找）	scold（責罵）
take（誤認為）	thank（感謝）	mistake（誤認為）
remember（記得）		

＋人＋ for ＋事，物

He *blamed* me *for* my idleness.（他責備我很懶惰。）
Please *excuse* me *for* being late.（請原諒我的遲到。）

③
prevent（預防）	discourage（勸阻）	save（拯救）
prohibit（阻止；禁止）		dissuade（勸阻）
rescue（拯救）	deter（阻礙）	hinder（阻礙）
deliver（拯救）	restrain（阻止）	keep（阻止）
protect（保護）	stop（阻止）	free（使免於）
distract（使分心）	preserve（保護）	

＋人＋ from ＋事，物

He *freed* me *from* debt.（他免除我的債務。）
They *delivered* him *from* the enemy.（他們將他從敵人中拯救出來。）

④
furnish（供給傢俱）	oblige（施以恩惠）	trouble（麻煩）
provide（提供）	favor（惠賜）	bother（打擾）
supply（供給）	entrust（委託）	help（幫助）
present（贈送）	trust（委託）	acquaint（使熟悉）
credit（把…歸功於）	arm（使武裝）	charge（控告）
serve（供應）	load（裝載）	

＋人＋ with ＋事，物

Miss Sharp will *favor* us *with* a song.（夏普小姐將為我們唱一首歌。）

⑤
talk（說服）	argue（說服）	frighten（恐嚇）
persuade（說服）	reason（說服）	bribe（賄賂）

＋人＋ into ＋事，物

We *bribed* him *into* secrecy.（我們賄賂他守密。）

【特別注意】 除去上述那五種動詞以外，尚有下列兩種特殊動詞：

① 同系動詞（**Cognate Verb**）：此種動詞原為不及物動詞，但與其意思相同的字連用時，可做及物動詞，**也就是動詞與受詞為同一語源者**。再者同系動詞的受詞，稱為同系受詞（Cognate Object）。

同系動詞可分成下列兩類：

／. 動詞與受詞同根：

He *laughed* a hearty *laugh*.（他笑了一個開心的笑。）
The old lady *sighed* a deep *sigh*.（老太太深深地嘆了一口氣。）
He had *fought* an honorable *fight*.（他打了一場光榮的仗。）

2 詞根不同，但意思相同：

　　They *fought* a terrible *battle*.（他們打了一場可怕的戰爭。）

【註 1】最高級形容詞之後，同系受詞可以省略。

　　　　He *breathed* his last (*breath*).（他斷了氣。）

　　　　He *tried* his hardest (*trial*).（他拼命地試了。）

【註 2】常用的同系動詞與受詞有：

breathe ········· breath	die ················ death
dream ··········· dream	fight ········ { fight / battle
laugh ············ laugh	live ·············· life
run ··············· race	sigh ·············· sigh
sleep ············ sleep	smile ············ smile

② **反身動詞（Reflexive Verb）**：就是及物動詞的動作，反向行為者的本身，稱為反身動詞；一般及物動詞加上反身受詞都可以有這種結構。

How did he *destroy* himself?（他是怎麼自殺的？）

Did he *drown* himself or hang himself?（他是投水還是上吊呢？）

To *know* oneself is difficult.（要了解自己是不容易的。）

Don't *praise* yourself so much.（不要這樣地自誇。）

Warm yourself by the fire.（到火邊取暖吧。）

Respect yourself, or no one else will respect you.（要自重，不然沒有人會尊重你。）

但也有一些**只能用在反身構造上的動詞**，這種動詞特別稱為**反身動詞**（Reflexive Verb）。常用的如下表：

abandon oneself to　沉溺於 addict oneself to　沉溺於 accustom oneself to　習慣於 adapt oneself to　適應於 address oneself to　向…講話； 　忙於 apply oneself to　專心於 devote oneself to　致力於 give oneself to　專心於 dedicate oneself to　致力於 resign oneself to　順從 confine oneself to　侷限於 engage oneself to　和…訂婚	burden oneself with　負擔 occupy oneself with　忙於 busy oneself with (about; in; at)　忙於 familiarize oneself with　精通 amuse oneself with (by)　以…自娛 ———————— throw oneself down　忽然倒下 pride oneself on　以…為榮 revenge oneself on　報仇 seat oneself (on; in)　坐 ———————— lose oneself in　專心於；沉思 clothe oneself in　穿 dress oneself in　穿 engage oneself in　從事	1. sth. 2. doing sth.
avail oneself of　利用 rid oneself of　除去 deliver oneself of　說出 bethink oneself of　想；考慮	present oneself (at) (for)　出席 absent oneself from　缺席 distinguish oneself by　因…而出名	

説明 1.

$$\text{one} + \text{V.} + \text{oneself}\cdots = \text{one} + \text{be} + \begin{cases} \text{p.p.} \cdots \\ \text{adj.} \end{cases}$$

　　　　dress oneself in = be dressed in

　　　　devote oneself to = be devoted to

　　　　absent oneself from = be absent from【不可用 *be absented from*】

　　　　lose oneself in = be lost in

　　　※ distinguish oneself by = be distinguished for

　　　　　pride oneself on = be proud of

2. 上述及物動詞的受詞如果和主詞不同，則用其他（代）名詞爲受詞。

　　　His parents ***clothed*** him *in* beautiful garments.

　　　He ***amused*** the children *with* a story.

【註】有時反身受詞還跟有補語：

She cried herself *blind*.（她哭得睜不開眼睛。）

He talked himself *hoarse*.（他講得聲音都啞了。）

He worked himself *ill*.（他工作得生了病。）

The child cried itself *to sleep*.（小孩哭著睡著了。）

He ran himself *out of breath*.（他跑得喘不過氣來。）

【注意】一個動詞並非只可用於一種句型，通常都可用於兩種以上的句型中。

　　　以 make, turn 及 teach 三個字爲例：

① **make** 可用於五種句型：

　　　　　　　　　　　　　　　　副詞片語

1. He made for the window.（他向窗口走去。）【完全不及物】
　　S　V

2. A good daughter makes a good wife.（好的女兒會成爲好妻子。）【不完全不及物】
　　　　　　S　　　　V　　　　SC

3. He always makes some toys in the afternoon.【完全及物】
　　S　　　　V　　　　O
　　（他總是在下午做些玩具。）

4. They made him president.（他們選他爲總統。）【不完全及物】
　　　S　　V　　O　　OC

5. She made me a delicious cake.（她爲我做了一個好吃的蛋糕。）【授與】
　　S　V　IO　　　　DO

② **turn** 可用於四種句型：

1. Wheels turn.（輪子會轉動。）【完全不及物】
　　S　　V

2. Milk turns sour.（牛奶會變酸。）【不完全不及物】
　　S　　V　SC

3. Men turn wheels.（人們轉動輪子。）【完全及物】
　　S　　V　　O

4. Heat turns milk sour.（高溫會使牛奶變酸。）【不完全及物】
　　S　　V　　O　OC

③ **teach** 可用於三種句型：

1. He is teaching in the first class.（他正在第一班上課。）【完全不及物】
　　S　　V　　　　　副詞片語

2. He teaches Spanish.（他教西班牙文。）【完全及物】
　　S　　V　　　O

3. He teaches his cousin Spanish.（他教他表弟西班牙文。）【授與】
　　S　　V　　　IO　　　DO

2. 依是否受主詞的人稱和數的限制而分類：

⑴ 限定動詞（**Finite Verbs**）：因主詞的人稱和數的不同而有所變化的動詞，叫作限定動詞，又可分成：

　① 特別限定動詞：凡是能和主詞對調而成問句，能在其後加 not 而成否定句，能用來強調，且能用來代替述詞的動詞，叫作<u>特別限定動詞</u>；例如 "be" 就是。

　　He *is* a teacher.

　　Is he a teacher?【和主詞對調成問句】

　　He *is* not a teacher.【其後加 not 成否定句】

　　He is not a teacher, but I *am*（*= am a teacher*）.【用來代替述詞】

　② 普通限定動詞：缺乏特別限定動詞的功能的限定動詞；例如 "come" 就是。

　　He *comes* to school every day.

　　【主詞 "He" 為第三人稱單數，動詞為現在式限定動詞，故用 "comes"】

　【註 1】 **特別限定動詞共有二十四個**，即 am, are, is, was, were, have, has, had, do, does, did, shall, should, will, would, can, could, may, might, must, ought, need, dare 和 used。

　【註 2】 一個有普通限定動詞的句子可藉 do, does 或 did 變成問句、否定句、強調，及代替述詞。

　　　He likes me.

　　　→ *Does* he like me?【變成問句】

　　　→ He *does*n't like me.【變成否定句】

　　　→ He *does* like me.【強調】

　　　→ You don't like me, but he *does*（*= likes me*）.【用來代替述詞】

⑵ 非限定動詞（**Non-finite Verbs**）：即**動狀詞**（**Verbals**）；其形式很穩定，不受主詞的人稱與數的限制而產生種種變化。

　① 原形　　　　　　　　　　　　　② 不定詞

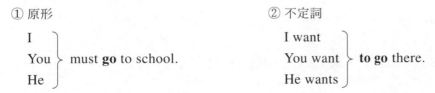

③ 現在分詞

I am
You are ⎱ **going** to school.
He is

⑤ 動名詞

I like
You like ⎱ **playing** tennis.
He likes

④ 過去分詞

I was
You were ⎱ **punished** by the teacher.
He was

上述黑字的動詞都沒有受到前面主詞人稱或數的影響，故稱它們為非限定動詞。

3. **依在動詞群中的位置而分類：**依文法結合的一串動詞叫**動詞群**（**Verb Clusters**），動詞群中最後一個動詞叫作**本（主要）動詞**（**Main** *or* **Principal Verbs**），其餘在本動詞之前，幫助其構成時式、語態、否定、疑問等的那些動詞，叫作**助動詞**（**Auxiliary Verbs**）；不藉「助動詞」而獨立表達意思的動詞仍算本動詞。

I <u>shall study</u> French.【未來式】
　 助動　本動
　　　動詞群

I <u>have been waiting</u> for half an hour.【現在完成進行式】
　 助動　助動　　本動
　　　　動詞群

A building <u>is being constructed</u> by workers.【現在進行被動式】
　　　　　 助動　助動　　　本動
　　　　　　　動詞群

<u>Do</u> you <u>like</u> her?【表疑問】
助動　　　本動
　　　動詞群

I <u>do not like</u> her.【表否定】
　助動　　本動
　　　動詞群

I <u>do like</u> her.【加強語氣】
　助動　本動
　　動詞群

I <u>like</u> her.
　本動

※「助動」表示「助動詞」；「本動」表示「本動詞」，又稱「主要動詞」。

第二章　動詞的變化（Conjugation of Verbs）

I. **前言：動詞的三種主要形態：**

  1. **原形（Root）：** 是動詞的基本形態，有下列四種用途：

    ⑴ 冠上 to 做不定詞（Infinitive）。

    ⑵ 和 do, shall, will, can, may, must…等助動詞相結合。

    ⑶ 做現在式（Present Tense）。

    ⑷ 字尾上加 ing 做現在分詞（Present Participle）或動名詞（Gerund）。

  2. **過去式（Past）：** 用來做過去式（Past Tense）。

  3. **過去分詞（Past Participle）：** 此一形態有以下兩種用法：

    ⑴ 和助動詞 have 相結合做<u>完成式</u>（Perfect Tense）。

    ⑵ 和助動詞 be 相結合做<u>被動語態</u>（Passive Voice）。

上述三種主要的形態稱為動詞的三種基本形態（Three Principal Parts of the Verb），這三種形態的變化稱為<u>動詞的變化</u>（Conjugation of Verbs）。

II. **動詞的變化（Conjugation of Verbs）：**

  1. **規則動詞的變化：**

    ⑴ **大部分的動詞在原形的字尾加 ed**

原　　形	過 去 式	過去分詞
ask（問）	asked	asked
end（結束）	ended	ended
walk（走）	walked	walked
want（想要）	wanted	wanted
work（工作）	worked	worked

    ⑵ **字尾為 e 者只加 d（e 通常不發音）**

agree（同意）	agreed	agreed
die（死）	died	died
like（喜歡）	liked	liked
live（居住）	lived	lived
cite（引用）	cited	cited
love（愛）	loved	loved
guide（引導）	guided	guided
welcome（歡迎）	welcomed	welcomed

    ※ 不要把 welcome 當成不規則動詞看。

    ⑶ Ⓐ **字尾為子音 + y 者，將 y 改成 i，再加 ed**

cry（哭）	cried	cried
dry（弄乾）	dried	dried
try（嘗試）	tried	tried
study（研讀）	studied	studied

    Ⓑ **字尾為母音 + y 者，直接在 y 後加 ed**

delay（延遲）	delayed	delayed
obey（遵守）	obeyed	obeyed
destroy（破壞）	destroyed	destroyed
play（玩）	played	played

⑷ 在加 **ed** 之前要重複字尾的子音字母者：

① 短母音字母 + 單子音字母，且為單音節的字時，要重複子音字母

beg（乞求）	begged	begged
pat（輕拍）	patted	patted
rob（搶）	robbed	robbed
rub（摩擦）	rubbed	rubbed
drop（滴下）	dropped	dropped
grin（露齒而笑）	grinned	grinned
plan（計劃）	planned	planned
stop（停止）	stopped	stopped
wed（結婚）	wedded	wedded

② 兩個音節的字，重音在第二音節，字尾為單子音字母時，要重複子音

admit（承認）	admitted	admitted
occur（發生）	occurred	occurred
omit（省略）	omitted	omitted
control（控制）	controlled	controlled
permit（允許）	permitted	permitted
prefer（比較喜歡）	preferred	preferred
transfer（轉移）	transferred	transferred

【註】字尾有兩個子音或重音不在最後一個音節，則不重複子音只加 ed。

offer（提供）	offered	offered
limit（限制）	limited	limited

【例外】	quit（辭職）	quitted (quit)	quitted (quit)	子音前有兩個母音字母
	zigzag（作鋸齒狀）	zigzagged	zigzagged	此二字重音在第一音節
	humbug（詐騙）	humbugged	humbugged	

英美兩國有不同的拼法：

travel（旅行）	{ traveled { travelled	{ traveled【美】 { travelled【英】
dial（撥號）	{ dialed { dialled	{ dialed【美】 { dialled【英】
equal（相等）	{ equaled { equalled	{ equaled【美】 { equalled【英】
worship（崇拜）	{ worshiped { worshipped	{ worshiped【美】 { worshipped【英】
quarrel（爭吵）	{ quarreled { quarrelled	{ quarreled【美】 { quarrelled【英】

⑸ 字尾為 **c**，而發音為 /k/ 時，則加字母 **k**，再加 **ed**

picnic（野餐）	picnicked	picnicked
bivouac（露營）	bivouacked	bivouacked
mimic（模仿）	mimicked	mimicked
frolic（嬉戲）	frolicked	frolicked

【註】字尾 **ed** 的發音。

① 字尾為 (**t**) 和 (**d**) 發音時，則發 /ɪd/

wait（等待）	waited〔'wetɪd〕
act（行為）	acted〔'æktɪd〕
add（加）	added〔'ædɪd〕
mind（介意）	minded〔'maɪndɪd〕

② 字尾為 (**t**) 以外的無聲子音 /f/、/k/、/p/、/s/、/ʃ/、/tʃ/ 則發 /t/

ask（問）	asked〔ɑskt , æskt〕
wish（希望）	wished〔wɪʃt〕
pass（通過）	passed〔pɑst , pæst〕
watch（看）	watched〔wɑtʃt , wɔtʃt〕
jump（跳）	jumped〔dʒʌmpt〕

③ 字尾為 (**d**) 以外的有聲子音 /b/、/g/、/l/、/m/、/n/、/v/、/z/、/ð/、/dʒ/、/ŋ/ 則發 /d/ 的音

call（叫）	called〔kɔld〕
rain（下雨）	rained〔rend〕
play（玩）	played〔pled〕
beg（乞求）	begged〔bɛgd〕
try（嘗試）	tried〔traɪd〕

④ (**t**)(**d**) 以外的子音，加 **ed**，發 /ɪd/，此種情形為動詞的過去分詞轉化為形容詞。

形容詞： learned〔'lɜnɪd〕有學問的
　　　　　 aged〔'edʒɪd〕年老的
　　　　　 blessed〔'blɛsɪd〕幸福的
　　　　　 cursed〔'kɜsɪd , kɜst〕詛咒的
　　　　　 naked〔'nekɪd〕赤裸的

2. **不規則動詞的變化：**

(1) **A-A-A 型**

原　　形	過　去　式	過去分詞
* *bet*（打賭）	*bet* (*betted*)	*bet* (*betted*)
broadcast（廣播）	broadcast	broadcast
burst（爆裂）	burst	burst
cast（投擲）	cast	cast
cost（花費；值）	cost	cost
cut（切）	cut	cut
hit（打）	hit	hit
hurt（傷害）	hurt	hurt
let（讓）	let	let
put（放）	put	put
* *quit*（辭去）	*quit* (*quitted*)	*quit* (*quitted*)
* *rid*（除去）	*rid* (*ridded*)	*rid* (*ridded*)
set（設定）	set	set
shed（流出）	shed	shed

spread（散播）	spread	spread
shut（關閉）	shut	shut
thrust（衝）	thrust	thrust

帶星號者有兩種形態。

【注意】 read（讀）〔rid〕　read〔rɛd〕　read〔rɛd〕三者形式相同，發音不同

⑵ **A-B-A 型**

come（來）	came	come
become（變成）	became	become
overcome（克服）	overcame	overcome
run（跑）	ran	run

【注意】 welcome 是一規則動詞

welcome	welcomed	welcomed

⑶ **A-A-B 型**

beat（打）	beat	beaten

⑷ **A-B-B 型**

① 加 **t** 即成過去式及過去分詞

原　　形	過　去　式	過　去　分　詞
burn（燃燒）	burnt, burned	burnt, burned
deal（交易）	dealt	dealt
dream（作夢）	dreamt, dreamed	dreamt, dreamed
lean（倚靠）	leant, leaned	leant, leaned
leap（跳）	leapt, leaped	leapt, leaped
learn（學習）	learnt, learned	learnt, learned
mean（意思是）	meant	meant
pen（關入欄中）	pent, penned	pent, penned
spoil（寵壞）	spoilt, spoiled	spoilt, spoiled

② 去一個子音字母，再加 **t**

dwell（居住）	dwelt, dwelled	dwelt, dwelled
smell（聞）	smelt, smelled	smelt, smelled
spell（拼字）	spelt, spelled	spelt, spelled
spill（灑出）	spilt, spilled	spilt, spilled

③ 字尾 **d → t**

bend（彎曲）	bent	bent
build（建造）	built	built
lend（借）	lent	lent
rend（撕裂）	rent	rent
send（寄；送）	sent	sent
spend（花費）	spent	spent

④ 將兩個相同母音變成一個母音

bleed（流血）	bled	bled
breed（養育）	bred	bred

feed（餵）	fed	fed
meet（遇見）	met	met
shoot（射擊）	shot	shot
lead（帶領）	led	led 此字 ea 的發音和 ee 相同

⑤ 將 i → u

cling（抓緊）	clung	clung
dig（挖掘）	dug	dug
fling（投擲）	flung	flung
sling（投擲）	slung	slung
slink（潛逃）	slunk	slunk
spin（紡織；使旋轉）	spun, span	spun
stick（刺；黏貼）	stuck	stuck
sting（螫；刺）	stung	stung
stink（發臭）	stunk, stank	stunk
string（調弦）	strung	strung
strike（打擊）	struck	struck
swing（擺動）	swung	swung
wring（擰；扭）	wrung	wrung

⑥ 將 i → ou

| bind（綑綁） | bound | bound |

比較 { find（找到） found found
　　 { found（創立） founded founded

比較 { wind（上發條；蜿蜒）〔waɪnd〕 wound〔waʊnd〕 wound〔waʊnd〕
　　 { wound（傷害）〔wund〕 wounded〔ˈwundɪd〕 wounded〔ˈwundɪd〕

⑦ 去掉一個母音再加 t

feel（覺得）	felt	felt
keep（保持）	kept	kept
kneel（跪）	knelt	knelt
sleep（睡）	slept	slept
sweep（掃）	swept	swept
weep（哭泣）	wept	wept

⑧ augh 或 ough 型

beseech（懇求）	besought, beseeched	besought
bring（帶來）	brought	brought
buy（買）	bought	bought
catch（捕捉）	caught	caught
fight（打架）	fought	fought
seek（尋求）	sought	sought
teach（敎）	taught	taught
think（想）	thought	thought

⑨ **去掉字尾 e**

bite（咬）	bit	bit, bitten
hide（躲藏）	hid	hid, hidden
slide（滑行）	slid	slid, slidden

⑩ **將 y → id**

lay（放置）	laid	laid
pay（付錢）	paid	paid
say（說）〔se〕	said〔sɛd〕	said〔sɛd〕

⑪ **其他類型**

sell（賣）	sold	sold
tell（告訴）	told	told
behold（看）	beheld	beheld
hold（握住）	held	held
abide（居住）	abode, abided	abode
awake（叫醒）	awoke	awoke, awaked
flee, fly（逃走）	fled	fled
forget（忘記）	forgot	forgot, forgotten
get（得到）	got	got, gotten
比較 hang（懸掛）	hung	hung
比較 hang（吊死）	hanged	hanged
have（有）	had	had
hear（聽到）	heard	heard
heave（用力舉起）	hove, heaved	hove, heaved
leave（離開；留下）	left	left
light（點燃）	lighted, lit	lighted, lit
比較 lie（說謊）	lied	lied
比較 lie（躺）	lay	lain
lose（遺失）	lost	lost
make（製造；使）	made	made
比較 shine（照耀）*vi.*	shone	shone
比較 shine（擦亮）*vt.*	shined	shined
shoe（穿鞋）	shod	shod
sit（坐）	sat	sat
stand（站）	stood	stood
tread（踩；行走）	trod	trod
understand（了解）	understood	understood
wake（醒來）	woke, waked	woke, waked, woken
win（贏）	won	won

⑸ **A-B-C 型**

① **母音全部不同者**

begin（開始）	began	begun
drink（喝）	drank	drunk
ring（鈴響）	rang	rung

shrink（縮小）	shrank, shrunk	shrunk, shrunken
sing（唱）	sang	sung
sink（下沉）	sank	sunk
spin（紡織；旋轉）	span, spun	spun
spring（跳躍）	sprang	sprung
stink（發臭）	stank, stunk	stunk
swim（游泳）	swam	swum
drive（開車）	drove	driven
rise（上升）	rose	risen
ride（騎）	rode	ridden
smite（打）	smote	smitten
stride（大步行走）	strode	stridden
write（寫）	wrote	written

② 過去式和過去分詞母音相同者

比較	bear（生）	bore	born (borne)（參照 p.296）
	bear（忍受）	bore	borne
	bore（使厭煩；鑽孔）	bored	bored

swear（發誓）	swore	sworn
tear（撕裂）	tore	torn
wear（穿著）	wore	worn
break（打破）	broke	broken
speak（說話）	spoke	spoken
steal（偷）	stole	stolen
weave（編織）	wove	woven
choose（選擇）	chose	chosen
freeze（結冰）	froze	frozen
bite（咬）	bit	bitten, bit
hide（隱藏）	hid	hidden, hid
slide（滑行）	slid	slidden, slid
tread（踩；行走）	trod	trodden, trod

比較	lie（躺）	lay	lain
	lie（說謊）	lied	lied

③ 原形與過去分詞母音相同者

bid（命令）	bade, bid	bidden, bid
eat（吃）	ate	eaten
forbid（禁止）	forbade	forbidden
forsake（放棄）	forsook	forsaken
give（給）	gave	given
see（看）	saw	seen
slay（屠殺）	slew	slain
shake（搖動）	shook	shaken
take（拿）	took	taken

比較	fly, flee（逃走）	fled	fled
	fly（飛）	flew	flown

draw（拖；拉）	drew	drawn
blow（吹）	blew	blown
grow（成長）	grew	grown
know（知道）	knew	known
throw（投擲）	threw	thrown

④ **過去式為規則變化（ed）過去分詞加（n）**

lade（裝載）	laded	laden, laded
* *melt*（融化）	*melted*	*molten*, *melted*
mow（割草）	mowed	mown, mowed
sew（縫）	sewed	sewn, sewed
shape（塑造）	shaped	shapen, shaped
shave（刮鬍子）	shaved	shaven, shaved
* *shear*（剪毛）	*sheared*	*shorn*, *sheared*
shrive（聽取懺悔而予以赦罪）	shrived	shriven, shrived
show（展示）	showed	shown, showed
sow（播種）	sowed	sown, sowed

【注意】有星號者過去分詞的變化與其他的稍有不同。

(6) **助動詞除 be, do 外，只有現在式與過去式，沒有過去分詞。**

shall	should	無
will	would	無
can	could	無
may	might	無
must	無	無
ought	無	無
do, does	did	done
is, are, am	was, were	been

【註1】 冠有字首的字和其字根之變化大致相同。如：

| rise（上升） | rose | risen |
| arise（發生） | arose | arisen |

take（拿）	took	taken
mistake（誤認）	mistook	mistaken
undertake（承擔）	undertook	undertaken

see（看見）	saw	seen
foresee（預知）	foresaw	foreseen
oversee（監督）	oversaw	overseen

【註2】 有些動詞有二個過去分詞，其中**以 "en" 結尾的字通常作為形容詞用**，不用在造成完成時態中的過去分詞。

a **drunken** soldier（喝醉的士兵）
The soldier has **drunk** much wine.（這士兵喝了許多酒。）

ill-**gotten** wealth（不義之財）
The merchant has **got** wealth by ill means.（這商人用不正當方法獲得財富。）

3. **單數第三人稱現在式動詞之變化**：其變化與名詞變複數時的規則大致相同，略言如下：

⑴ 一般的動詞加 **s** 即可

rape — *rapes*	walk — *walks*	talk — *talks*

⑵ 以 **ch, o, s, sh, x, z** 結尾的字則加 **es**

pass — *passes*	push — *pushes*	buzz — *buzzes*
catch — *catches*	tax — *taxes*	go — *goes*

⑶ **子音 + y 爲結尾時，y 改成 i 再加 es**

study — *studies*	worry — *worries*	try — *tries*
cry — *cries*		

⑷ **母音 + y 爲結尾時，則直接加 s**

play — *plays*	obey — *obeys*

【註】動詞加 s 與 es 之後，字尾的發音也與名詞加 s, es 發音大致相同。

① 發 /ɪz/ 音：原形字以 /s/，/z/，/ʃ/，/tʃ/，/dʒ/ 讀音爲結尾，字尾加 **es** 時

kiss — kisses〔ˈkɪsɪz〕	wash — washes〔ˈwɑʃɪz，ˈwɔʃɪz〕
buzz — buzzes〔ˈbʌzɪz〕	teach — teaches〔ˈtitʃɪz〕

字尾有默音 e，再加 s 時

chase — chases〔ˈtʃesɪz〕	rage — rages〔ˈredʒɪz〕
doze — dozes〔ˈdozɪz〕	judge — judges〔ˈdʒʌdʒɪz〕

【注意】以 o 爲結尾的字，其所加之 es 唸 /z/，而不是 /ɪz/。

go — goes〔goz〕	echo — echoes〔ˈɛkoz〕

② 發 /s/ 音：原形以無聲子音（擦齒音 /s/，/ʃ/，/tʃ/ 除外）爲結尾，加 **s** 時，發 /s/（默聲 e 不影響此發音）。

stop — stops〔stɑps〕	ripe — ripes〔raɪps〕
cook — cooks〔kʊks〕	take — takes〔teks〕

③ 發 /z/ 音：原形以有聲子音（擦齒音 /z/，/dʒ/ 除外）爲結尾，則 **s** 發 /z/ 音（默聲 e 不影響發音）。

beg — begs〔bɛgz〕	find — finds〔faɪndz〕
sing — sings〔sɪŋz〕	imagine — imagines〔ɪˈmædʒɪnz〕
allow — allows〔əˈlaʊz〕	live — lives〔lɪvz〕
call — calls〔kɔlz〕	breathe — breathes〔briðz〕

④ **以 y 結尾的字，不論其前爲子音或母音皆發 /z/ 音**

try — tries〔traɪz〕	play — plays〔plez〕
copy — copies〔ˈkɑpɪz〕	say — says〔sɛz〕

【注意】say〔se〕　　says〔sɛz〕　　said〔sɛd〕

4. **現在分詞和動名詞**

⑴ 大多數動詞，在**字尾加 ing** 則成現在分詞及動名詞

work — working	play — playing
cry — crying	be — being
see — seeing	study — studying

⑵ **字尾為默聲 e**（即不發音的 e），**先去掉 e 再加 ing**

hope — hoping   come — coming

love — loving   take — taking

⑶ **上述默聲 e 的前面若為 i 時，則將 ie 改為 y，再加 ing**

die — dying   lie — lying

tie — tying   vie — vying（競爭）

【註】字尾 e 有聲或字尾為 ee, oe, ye 時，**加 ing 時不可去掉 e。**

be — being（是）   flee — fleeing（逃走）

hoe — hoeing（以鋤耕作） dye — dyeing（染）

⑷ **動詞結尾的 c 若發 /k/ 音時，加 k，再加 ing**

picnic — picnicking（野餐）   bivouac — bivouacking（露營）

⑸ **動詞以（短母音 + 單子音）作結束時，且該字又為單音節，則重複子音再加 ing；**
若該字為二音節，而且重音又落在最後音節，也要重複子音，再加 ing。

stop — stopping   omit — omitting

sit — sitting   occur — occurring

beg — begging   begin — beginning

cut — cutting   permit — permitting（允許）

shop — shopping   prefer — preferring（比較喜歡）

wed — wedding（和…結婚） transfer — transferring（轉移）

refer — referring（參考）

【例外】fix — fixing   box — boxing（拳擊）   blow — blowing

又因 suffer 的重音在第一音節，所以 suffer — suffering

Ⅲ. 一些容易混淆的動詞

1.
> *sit   sat   sat   sitting*（坐）— *vi.* 無受詞
> *set   set   set   setting*（安置；設定；下沉）— *vi. , vt.*
> *seat   seated   seated   seating*（使就座；容納）— *vt.* 有受詞
> 【當「使就座」講時，後接反身代名詞，或用被動語態】

I *sit* in an armchair.（我坐在扶手椅上。）

> I *set* a book on the shelf.（我把書放在架子上。）
> The sun rises in the east and *sets* in the west.（日出於東，落於西。）

> Please *seat yourself*. = *Be seated*, please. = *Sit down*, please.（請坐。）
> When everyone was *seated*, the music began.
> （當大家都就座的時候，音樂開始響起。）

> The hall *seats* 2,000.（這會場有兩千個座位。）
> This room can *seat* a thousand people.（這個房間可容納一千人。）

2.
lie	*lied*	*lied*	*lying*	（說謊）— *vi.* 無受詞
lie	*lay*	*lain*	*lying*	（躺；在；位於）— *vi.* 無受詞
lay	*laid*	*laid*	*laying*	（下蛋；放置；奠定）— *vt.* 有受詞

- You're *lying*!（你撒謊！）
- He *lied* to me.（他對我撒謊。）

- The book *lies* on the table.（書擺在桌上。）
- The dog was *lying* on the ground.（那狗躺在地上。）

- Hens *lay* eggs.（母雞生蛋。）
- He *laid* his hand on my shoulder.（他將手放在我肩上。）
- He has *laid* the foundation of his future success.（他已為自己將來的成功奠定基礎。）

3.
rise	*rose*	*risen*	*rising*	（上升）— *vi.* 主詞為有形的東西
arise	*arose*	*arisen*	*arising*	（發生；出現；興起）— *vi.* 主詞為無形的東西
raise	*raised*	*raised*	*raising*	（提高；舉起；養育）— *vt.* 有受詞
rouse	*roused*	*roused*	*rousing*	（喚醒）— *vt.*
arouse	*aroused*	*aroused*	*arousing*	（喚起）— *vt.* 受詞為無形的東西

- The price *rises*.（物價上漲。）
- The sun *rises* in the east.（太陽從東方升起。）

- My suspicion *arose* owing to his refusal to give me any information.（由於他拒絕給我任何消息，我產生了懷疑。）
- Before they could start, a mist *arose*.（在他們動身之前，霧出現了。）

- They *raise* the price.（他們抬高物價。）
- *Raise* your hands.（舉起你們的手來。）
- He was born and *raised* in the countryside.（他在鄉下出生和長大。）

- The fire *roused* the people from their sleep.（火災使人們從睡夢中驚醒。）
- I was *roused* by the telephone.（我被電話驚醒。）

Their terrible suffering *aroused* our pity.（他們可怕的苦難引起我們的憐憫。）

4.
fall	*fell*	*fallen*	*falling*	（落下）— *vi.* 無受詞
fell	*felled*	*felled*	*felling*	（砍伐）— *vt.* 有受詞
feel	*felt*	*felt*	*feeling*	（感覺）— *vi.*,*vt.*

- The leaves *fall* in autumn.（秋天葉落。）
- Many trees *fell* in the storm.（很多樹在暴風雨中倒了。）

- One blow *felled* him to the ground.（一拳將他打倒在地上。）
- We will *fell* these great trees.（我們要砍伐這些大樹。）

- This room *feels* hot.（這個房間令人覺得熱。）
- Ice and snow *feel* cold.（冰和雪摸起來是冷的。）
  } *feel* 在此是不完全不及物動詞

- I *felt* sorrow when I heard it.（聽到這件事時，我覺得悲傷。）
- He *feels* the car shaking.（他覺得車子在震動。）
  } *feel* 在此是及物動詞

※ 其他諸如：*feel pain*（痛苦），*feel grief*（悲傷），*feel pity*（同情）中，*feel* 均為及物動詞。

5.
> *hang　hanged　hanged　hanging*（吊死）— *vt.*
> *hang　hung　hung　hanging*（懸掛）— *vt. , vi.*

> The murderer was caught and *hanged*.（兇手被逮捕而且被處以絞刑。）
> He *hanged* himself.（他上吊了。）

> *Hang* the picture on the wall.（把圖畫掛在牆上。）
> *Hang* your hat up.（把你的帽子掛起來。）　　*hang* 在此是及物動詞

> The picture was *hanging* on the wall.（那幅畫掛在牆上。）
> There's something *hanging* out of the window.
> （有東西掛在窗外。）　　*hang* 在此是不及物動詞

6.
> *bear　bore　born*（*borne*）　*bearing*（出生；結果）— *vt. , vi.*
> *bear　bore　borne　bearing*（忍受；負擔）— *vt.*

> This tree *bears* well.（這棵樹結了很多果實。）
> Women *bear* children.（婦女生小孩。）

> I cannot *bear* the smell of tobacco.（我不能忍受菸草的味道。）
> He can't *bear* the noise.（他不能忍受噪音。）

> A camel can *bear* a heavy burden.（駱駝能負重。）
> He will *bear* the expenses of their education.（他將負擔他們的教育費。）

【注意】　*bear* 作「負擔」解，過去分詞只有 borne，當「生（子）」解時，有 *born*, *borne* 兩種，其用法如下：

① *born* 只用於無 **by** 的被動語態或過去分詞當形容詞用時。

> I was *born* in 1965.（我生於 1965 年。）
> He has been poor in all his *born* days.（他有生以來都是窮的。）

② *born*（**天生的**）是純粹形容詞（可放在 a 的前後）

He is a *born* fool.（他是個天生的傻瓜。—— 他仍然活著）

He was *born* a fool.（他是個天生的傻瓜。—— 他也許活著也許死了）

③ *borne* 則用於

(A) 主動語態完成式：

She *has borne* him five sons.（她為他生了五個兒子。）

He *has borne* himself manfully.（他天生就有男子氣概。）

(B) 有 by 的被動語態，或有 by 的過去分詞片語。

The children were all *borne by* his third wife.
（這些孩子都是他第三任妻子生的。）

The children *borne* to him *by* this woman are clever.
（這個女人為他生的孩子都很聰明。）

This is one of the three boys *borne by* his second wife.
（這是他第二個太太生的三個男孩之一。）

【註】 *bear* 當「生產」、「結果實」解時，**不可使用過去簡單式動詞**（因生了的小孩仍在母親的懷抱中，所結的果實仍在樹上）。比較下列各句：

She *bore* a child last night.【誤】

She has *borne* many children.【正】【可用完成式動詞】

She *bore* him many children.【正】【bear 表示「爲某人生孩子」時，可用過去式動詞】

She $\left\{\begin{array}{l}\text{had}\\\text{gave birth to}\\\text{was delivered of}\\\text{delivered}（現代美語的通俗用法）\\\text{was brought to bed of}\end{array}\right\}$ a child last night.【正】

【可用其他動詞表示過去某時出生】

7.
| *find*　*found*　*found*　*finding*（找到）— *vt.* |
| *found*　*founded*　*founded*　*founding*（建立）— *vt.* |

　　She *found* a box under the shelf.（她在架子下找到一個箱子。）
　　I *found* the pencil on the desk.（我在書桌上找到這枝鉛筆。）

　　The Republic of China was *founded* in 1911.（中華民國建立於 1911 年。）
　　They plan to *found* a school for old people.（他們計劃建立一所老人學校。）

8.
| *wind*〔wɪnd〕　*winded*　*winded*　*winding*（吹；嗅出；使呼吸急促）— *vt.* |
| *wind*〔waɪnd〕　*wound*〔waʊnd〕　*wound*　*winding*（蜿蜒；纏繞；上發條）— *vi.,vt.* |
| *wound*〔wund〕　*wounded*　*wounded*　*wounding*（傷害）— *vt.* |

　　The hunter *winds* his horn.（獵人吹他的號角。）
　　The deer *winded* the stalkers.（那隻鹿嗅出了偷偷接近的獵人。）

　　The river *winds* through the village.（小河蜿蜒流過村莊。）
　　This clock *winds* easily.（這個時鐘容易上發條。）

　　We *wound* our way through the narrow streets.（我們迂迴行經狹窄的街道。）
　　I have *wound* (up) my watch.（我已經把我的手錶上了發條。）

　　He was seriously *wounded* in the leg.（他的腿受了重傷。）
　　Ten soldiers were killed and thirty *wounded*.（十名士兵死亡，三十名受傷。）

9.
| *lend*　*lent*　*lent*　*lending*（借出）— *vt.*【屬於授與動詞，lend + 人 + 物 = lend + 物 + to + 人】 |
| *borrow*　*borrowed*　*borrowed*　*borrowing*（借入）— *vt.*【borrow + 物 + from + 人】 |

　　Would you please *lend* me some money?（請借些錢給我好嗎？）
　　Will you *lend* your knife to that man?（你要把你的刀借給那個人嗎？）

　　I *borrowed* a lot of books from the school library.（我從學校圖書館借來許多書。）
　　He *borrows* money from me frequently.（他經常向我借錢。）

10.
> **live**（住）— *vi.* 無受詞
> **inhabit**（居住）— *vt.* 有受詞

> The Smiths **live in** Japan.（史密斯一家人住在日本。）
> Where do you **live**?（你住在哪裡？）

> The Johnsons **inhabit** Japan.（強生一家人居住在日本。）
> Fish **inhabit** the sea.（魚棲於海中。）

11.
> **shine　shone　shone　shining**（照耀）— *vi.*
> **shine　shined　shined　shining**（擦亮）— *vt.*

> The moon **shone** bright last night.（昨夜月光明亮。）
> The sun was **shining**.（太陽在照耀。）

> My daughter **shined** the window yesterday.（我的女兒昨天把窗子擦亮。）
> He **shined** my shoes.（他擦亮我的鞋。）

12.
> **forget　forgot　forgotten　forgetting**（忘記）— *vt.*
> **leave　left　left　leaving**（知其所在，但忘了帶來；遺留在…）— *vt.*

I **forgot** where I put it.（我忘了我把它放在哪裡。）

I must have **left** my hat on the desk.（我一定是把我的帽子留在書桌上了。）

「遺忘（某物）」可用 forget，如：I **forgot** my umbrella. 但「遺忘（某物）在某處」則不可用 forget，應該用 leave，如：I **left** my umbrella at his house.（我把雨傘遺忘在他家。）

13.
> **bid　bid　bid　bidding**（出價；叫牌）— *vi.,vt.*
> **bid　bade　bidden　bidding**（命令；致意；道別）— *vt.*【是使役動詞】

> I **bid** ten dollars for that picture.（那幅畫我出價十元。）
> I **bid** four spades.（我叫四個黑桃。）
> He **bid** at the auction.（他在拍賣中出價競標。）

> I **bade** them depart.（我命令他們離開。）
> He **bade** us prepare for the journey.（他命令我們為這次旅行做準備。）
> We **bade** him farewell.（我們向他告別。）

14.
> **answer**
> **reply**　（答覆；回答）

⑴ **answer** 作「回答」講時是及物動詞，**reply** 作「回答」講時是不及物動詞，後須接 to 再接受詞。

He didn't { **answer** / **reply to** } my question.（他沒回答我的問題。）

I { **answered** / **replied to** } his letter promptly.（我立刻回了他的信。）

(2) *answer* 當名詞用時與 *reply* 同樣要接 to：

This is $\left\{ \begin{array}{l} \textit{an answer to} \\ \textit{a reply to} \end{array} \right\}$ your question.（這是對你的問題的回答。）

15. | *spend*　*spent*　*spent* |
| *take*　*took*　*taken*　　作「花費」講時用法不同 |
| *cost*　*cost*　*cost* |

(1) *spend* 的句型：

$\left\{ \begin{array}{l} sb. + \textit{spend} + 時間 + (\textit{in}) + \text{V-ing} \\ sb. + \textit{spend} + 金錢 + \textit{on } sth. \end{array} \right.$

He *spent* the whole vacation (*in*) traveling.（他整個假期都消磨在旅行上。）
He *spent* fifty dollars *on* that book.（那本書他花了五十元。）

(2) *take* 的句型：

It + *takes* + (*sb.*) + $\left\{ \begin{array}{l} 時間 \\ 勞力 \end{array} \right\}$ + *to* + 原形動詞

$\left\{ \begin{array}{l} \text{It } \textit{took} \text{ me two hours to prepare for the test.（我花了兩個小時準備這個考試。）} \\ = \text{I } \textit{took} \text{ two hours to prepare for the test.} \\ = \text{I } \textit{spent} \text{ two hours (} \textit{in} \text{) preparing for the test.} \end{array} \right.$

It *takes* three men to do the job.〔做這個工作需要三個人（的力量）。〕
It *takes* time and effort to master the piano.（要精通鋼琴需要時間和努力。）

(3) *cost* 的句型：

sth. + *cost* + (*sb.*) + 金錢、時間或勞力

This bicycle *cost* (me) one thousand N.T. dollars.
〔這輛腳踏車花了（我）新台幣一千元。〕
Compiling a dictionary *costs* much time and labor.（編一本字典要花很多時間和精力。）
The boy's wayward behavior *cost* his mother many a sleepless night.
（那男孩任性的行為使得他母親多夜失眠。）

16. | *say*　*said*　*said*（說）— *vt.*, *vi.* |
| *tell*　*told*　*told*（講；告訴）— *vt.*, *vi.* |
| *talk*　*talked*　*talked*（談話）— *vt.*, *vi.* |
| *speak*　*spoke*　*spoken*（說話；說）— *vt.*, *vi.* |

(1) *say* 的用法：

① say + $\left\{ \begin{array}{l} \text{that } (S. + V.) \\ (sth.) + \text{to} + 人 \end{array} \right.$

He *said* that he did not know you.（他說他不認識你。）
Say "goodbye" to him. = Tell him "goodbye".（跟他說「再見」。）

② say 可接直接引句：

He often $\left\{ \begin{array}{l} \textit{tells me},\text{【誤】} \\ \textit{says} \text{ to me,}\text{【正】} \end{array} \right\}$ "It is all over with me."（他常跟我說：「我完蛋了。」）

③ say 可接 good morning, good evening, good night, hello, prayer, grace 等詞語。

Say grace. (禱告。)

Say good morning. (說早安。)

④ say 與 tell 均可表時間。

My watch *says* 4:30. (我的錶是四點半。)

The child can *tell* the time. (這孩子懂得看時間。)

⑵ *tell* 的用法：

① tell + { 人 + that (*S.* + *V.*)
人 + *sth.*, *or* tell *sb.* about *sth.*

John *told* me that he was going to help you. (約翰說他將要幫助你。)

= John said to me that he was going to help you.

I never *tell* anyone *about* the secret. (我從未把這個秘密告訴任何人。)

② 受詞是 story, joke, news, fact, truth, lie 時，可用 tell 做動詞。

Old men like to *tell stories*. (老年人喜歡講故事。)

※ 說謊話只可用 *tell*，不可用 say 或 speak；說實話可用 *tell* 或 *speak*，不可用 say。

He was punished for { *saying*【誤】
speaking【誤】
telling【正】 } a lie. (他因說謊而被處罰。)

Youths should always { *say*【誤】
tell【正】
speak【正】 } the truth. (年輕人應該總是說實話。)

③ tell 之後可接二個受詞（間接受詞和直接受詞）

I will *tell* <u>you</u> <u>a good joke</u>. (我要告訴你一個很好的笑話。)
　　　　　間受　　直受

They *told* <u>me</u> <u>that he was a liar</u>. (他們告訴我說他是個騙子。)
　　　　間受　　　　直　受

⑶ *talk* 的用法：

① talk + { to
with } *sb.* about *sth.* (*sb.*)

I *talked to* her *about* the old days last night. (我昨晚和她談論往事。)

② talk 與 speak 同表談話，但 talk 表比較不正式，speak 表比較正式。

What were they { *talking*
speaking } about? (他們在講什麼？)

⑷ *speak* 的用法：

speak + { 語言
to *sb.* about *sth.*

How many languages does he { *say*【誤】
speak【正】 } ? (他會說多少種語言？)

The child hasn't learnt to $\left\{\begin{array}{l} say\,【誤】\\ speak\,【正】\\ talk\,【正】\end{array}\right\}$ yet.（這小孩還沒有學會講話。）

He $\left\{\begin{array}{l} says\,【誤】\\ speaks\,【正】\end{array}\right\}$ French fluently.（他法文說得很流利。）

17. | win　won　won　winning（贏得）— *vt.,vi.*
beat　beat　beaten　beating（打敗）— *vt.*
defeat　defeated　defeated　defeating（打敗；勝過）— *vt.* |

(1) ***win*** + 事、物（作「贏得」解時，不能接人做受詞）

They ***won*** the battle.（他們贏了這場戰爭。）

He ***won*** a prize.（他得了獎。）

(2) ***beat*** + 人（作「打敗」解時，只能接人做受詞）

We ***beat*** him in the war.（我們在戰爭中打敗了他。）

(3) ***defeat*** + 人（作「勝過」解時，只能接人做受詞）

I ***defeated*** him in the contest and ***won*** the prize.（我在比賽中擊敗了他，贏得了獎品。）

18. | *wear*　*wore*　*worn*　*wearing*（穿著）指繼續的狀態
put on　*put on*　*put on*　*putting on*（穿上）指一時的動作
dress　*dressed*　*dressed*　*dressing*（替…穿衣） |

(1) ***put on*** 指「**穿衣之動作**」，而 ***wear*** 乃表「**穿著之狀態**」。

I shall $\left\{\begin{array}{l} wear\,【誤】\\ put\,on\,【正】\end{array}\right\}$ my overcoat before I go out.（在我出去前，我要先穿上大衣。）

In such cold weather I $\left\{\begin{array}{l} put\,on\,【誤】\\ wear\,【正】\end{array}\right\}$ my overcoat all day.

（在這麼冷的天氣，我整天穿著大衣。）

(2) ***dress*** 的用法：

① dress + 人（作「替（人）穿衣」解，受詞是人）

Please ***dress*** the child.（請替那孩子穿一下衣服。）

She is ***dressing*** her doll.（她正在替她的洋娃娃穿衣服。）

② dress + oneself（dress 是反身動詞，自己穿衣時，該接反身代名詞為受詞）

She is ***dressing herself*** now.（她正在穿衣服。）

③ dress + oneself + in + 顏色或衣服 = be dressed in + 顏色或衣服

She ***dressed herself in*** pink last night.（昨晚她穿粉紅色的衣服。）

= She ***was dressed in*** pink last night.

④ dress 做不及物動詞，常表示反覆的概念或習慣。

He ***dresses*** well.（他穿得很好。）

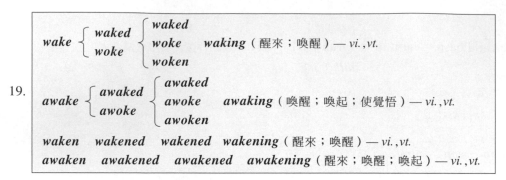

19.

(1) *wake* 和 *awake* 皆可作 *vi.* 和 *vt.* 用，但 *wake* 常與 up 連用，*awake* 可作形容詞用。

He usually $\begin{cases} \textit{wakes up} \\ \textit{awakes} \end{cases}$ at six every morning. （他通常每天早上六點醒來。）

Wake me *up* at six tomorrow morning. （明天早上六點把我叫醒。）

Nothing can $\begin{cases} \textit{awake} \\ \textit{awaken} \end{cases}$ his interest in this subject.

（沒有東西能喚起他對此題目的興趣。）

【awake 常和 awaken 一樣，後接抽象名詞為受詞，或用於比喻的意味】

The national spirit *awoke*. = The national spirit *was awakened*.

（國家精神被喚起了。）【在比喻用法中，awake 以做 vi. 較佳，awaken 以做 vt. 較佳】

I was wide *awake*. （我清醒得很。）【awake 在此做形容詞】

(2) *waken* 和 *awaken* 通常作 *vt.* 用，但 $\begin{cases} \textit{waken} + 實體的受詞 \\ \textit{awaken} + 抽象名詞的受詞 \end{cases}$

The doorbell *wakened* him. （門鈴把他喚醒了。）

The leader *awakens* their patriotism. （元首喚起了他們的愛國心。）

20.
recall
recollect （記得；記起）
remember

(1) *recall* + V-ing （不可接 to + 原形動詞）

I can't recall $\begin{cases} \textit{meeting}【正】 \\ \textit{having met}【正】 \\ \textit{to meet}【誤】 \end{cases}$ him. （我不記得有見過他。）

(2) *recollect* + V-ing （不可接 to + 原形動詞）

I recollected $\begin{cases} \textit{hearing}【正】 \\ \textit{having heard}【正】 \\ \textit{to hear}【誤】 \end{cases}$ his speech then. （我記得那時候聽過他的演說。）

(3) *remember* + $\begin{cases} \text{V-ing （記得曾做過某事）} \\ \text{to + V （記得將要去做某事，而此事尚未做）} \end{cases}$

Do you remember *meeting* (= *having met*) her at my house last year?

（你記得去年你在我家和她見過面嗎？）

Please remember *to mail* this letter. （請記得要寄這封信。）

第三章　助動詞（Auxiliary Verbs）

I. 定義： 協助本動詞形成動詞片語而表示時式、語氣、語態、疑問、否定等的動詞就稱之為助動詞（**Auxiliary Verbs**），在助動詞之後表實際意義的動詞，稱爲主要動詞或本動詞（ Principal *or* Main Verbs ）。

1. He <u>is reading</u> English now.【時式】
　　　助　　本

2. <u>Do come</u> (to) see me tomorrow.【語氣】
　　助　本

3. Tom <u>was punished</u> by the teacher.【語態】
　　　助　　本

4. <u>Did</u> you <u>write</u> a letter?【疑問】
　　助　　　本

5. He <u>doesn't like</u> it.【否定】
　　　助　　本

II. 種類：英文中有十二個助動詞

原　　　形	現　在　式	過　去　式	過去分詞
be	is, am, are	was, were	been
have	have, has	had	had
do	do, does	did	done
—	shall	should	—
—	will	would	—
—	can	could	—
—	may	might	—
—	must	—	—
—	ought (to)	—	—
—	need	—	—
—	dare	dared	—
—	used to	—	—

【註】　① 另有 had better, would rather 也可做助動詞。

　　　② 除 be, have, do 外，其他助動詞沒有不定詞、現在分詞、過去分詞、動名詞等形式。

III. 助動詞的特性：

1. **助動詞的四大特徵：**

　　(1) 第三人稱單數，現在式並不加 "s"（ 但 does, has 例外 ）。
　　(2) 助動詞後面不加 "to"（ ought, used 例外 ）。
　　(3) be, have, do（ 包括它們所有的形式 ）, need, dare 還可作本動詞用。
　　(4) 否定句、疑問句，借用 do 而形成。

2. **助動詞和本動詞之連接：**

　　(1) **接原形者有：** will, shall, can, may, must, need, dare, do

　　　　Need you ***go*** so soon?（ 你必須這樣快就走嗎？ ）

　　　　I ***do*** not ***think*** that need be thought about.（ 我認爲不需要考慮那件事。 ）

⑵ 接 **"to"** 者：ought, used

She *ought to* improve her appearance before she looks for a job.
（在她找工作之前，她應該修飾一下她的儀容。）

He *used to* take a walk after dinner.（他過去習慣於晚飯後散步。）

⑶ **接過去分詞者**：have 表完成式，be 表被動語態

I *have* just *finished* my homework.（我剛做完我的作業。）

This letter *was written* by my aunt.（這封信是我阿姨寫的。）

⑷ **接現在分詞者**：be 表進行式

Where *are* you *going*?（你正要去哪裡？）

He *is reading* a novel.（他正在看一本小說。）

3. **助動詞不可重複使用**：

My little sister *will* soon *can* walk.【誤】

My little sister *will* soon *be* able to walk.【正】【be 在此是本動詞】

（我的小妹妹快要會走路了。）

IV. 助動詞的用法：

1. **be 的用法**：

⑴ be + 現在分詞 → 進行式

I **am writing** a letter.（我正在寫一封信。）

They **are playing** baseball in the garden.（他們正在花園裡打棒球。）

⑵ be + 及物動詞的過去分詞 → 被動語態

America **was discovered** by Columbus.（美洲是由哥倫布發現的。）

The car **is being driven** by John.（車子正由約翰在駕駛。）

【註】be + p.p.（ *vt.* ）除表被動外，亦可表示狀態。比較下面句子的兩種意義：

The bottle **was broken**. $\begin{cases} （瓶子被打破了。—— 表示被動）\\ （瓶子是破的。—— 表示狀態）\end{cases}$

⑶ be（現在或過去式）+ to 也可視為具有助動詞功用的用法，用來**表示約定、義務、希望、可能等，否定為 be not + 不定詞 = must not 表示禁止**

Who **is to blame**?（誰該受責備？）【義務】

We **are to meet** at the restaurant at noon.（我們中午將在餐廳見面。）【約定】

Mother says you **are not to climb** the tree.（媽媽說你們不得爬樹。）【禁止】

⑷ be 作為本動詞**表狀態、存在等意思**

He **is** a diligent boy.（他是個勤奮的孩子。）

There **are** people who try to help others.（有人盡力想幫助他人。）

2. **have 的用法**：

⑴ have + 過去分詞 → 完成式

I **have** just **finished** my research report.（我剛做完我的研究報告。）

⑵ have + been + 過去分詞 → 完成式被動語態

The research report **has** just **been finished** by me. （這份研究報告剛被我做完。）

⑶ have + been + 現在分詞 → 完成進行式

I **have been reading** a novel since this morning. （從今天早上起，我就一直在看一本小說。）

⑷ have + to + 原形動詞 → 必須（ = must）（指現在或將來）

You **have to**（ = *must*）**study** hard. （你必須用功。）

had to + 原形動詞 → 必須（指過去）【還可作「偏偏」解 = must（參照 p.319）】

I **had to go** downtown yesterday to see my dentist. （我昨天必須到市中心去看牙醫。）

They **had to leave** the party early last night. （他們昨晚必須早點離開宴會。）

【因為 must 沒有過去式，所以凡指「過去的必須」，可用 had to】（詳見 p.318）

※ do (does, did) not have to + 原形動詞 → 不需要

　I **don't have to work** today. （我今天不必工作。）

⑸ had better + 原形動詞 → 勸解，或間接命令

You **had better take** care of your cold. （你最好要注意你的感冒。）

I**'d better be** on my way now. （現在我最好上路了。）

had better not + 原形動詞 → 最好不（別）【不可寫成 *had not better*，但疑問句中可寫成 hadn't better】

You **had better not** go out without a coat. （你最好別不穿外套就出去。）

He**'d better not** be late again. （他最好不要再遲到了。）

⑹ 作為本動詞

① have 動詞表示「所有」的意思

The rich man **has** a lot of money. （那富人有很多錢。）

② have 可表示有經驗的意思

Do you **have** much difficulty (*in*) understanding his English? （你很難了解他的英文嗎？）

③ **have 可當作 take, get, receive, eat 等的意思用**

Does she **have**（ = *take*）a music lesson every day? （她每天都上音樂課嗎？）

I **have**（ = *eat*）bread and butter for my breakfast. （我早餐吃奶油麵包。）

【註】**have 當作其他動詞時**，和其他動詞一樣**用 do 形成否定句、疑問句，並有進行式**。
　　 We **are having** a picnic next Sunday. （下星期天我們要去野餐。）
　　 They **do not have** their mother's letter. （他們尚未收到他們母親的來信。）

④ have 做使役動詞的用法：

a. **have + O + 過去分詞 → 使～；把～**【have + 物 + p.p.，表示自己不做而讓他人做】

I will **have** my house **painted**. （我要叫人來油漆我的房子。）

He will **have** his fence **mended**. （他要叫人來修補籬笆。）

◎ 此種句型中 have 可用 get 代替。

◎ 此種句型的否定句要用 do not have，疑問句要用 do + 主詞 + have。

Mary **doesn't have** her room cleaned; she cleans it by herself.

（瑪麗不叫人清理房間；她親自清理。）

Did you **have** your hair cut yesterday? （你昨天理髮了嗎？）

b. **have** + **O** + 原形動詞 → 命～；叫～（去做）【have + 人 + 原形動詞，表受詞主動做某事】

You must **have** a maid **clean** your house.（你必須找個女佣打掃你的房子。）

◎ 此種句型中 **have 也可用 get 代替**，不過後面要接 to + 原形動詞。

You must **get** a maid **to clean** your house.（你必須找個女佣打掃你的房子。）

◎ 否定句及疑問句也要使用助動詞 do。

Did you **have** the porter carry those bags to my house?

（你有沒有叫搬運工人把那些行李搬到我家？）

⑤ have + a + 名詞 = 與該名詞同義的動詞

have a talk = talk（說話）	have a swim = swim（游泳）
have a dream = dream（做夢）	have a walk = walk（散步）
have a wash = wash（洗）	have a smoke = smoke（抽煙）
have a rest = rest（休息）	have a ride = ride（搭乘）

【註1】have 在疑問句及否定句中，英國式的句子裡可用 do 或 have，在美國式句型中則用 do。

Have you a watch?【英】　　Do you **have** a watch?【美，英】

Yes, I **have**.　　　　　　　Yes, I **have**. ⎫

No, I **haven't**.　　　　　　Yes, I **do**. ⎬ 兩者皆可

　　　　　　　　　　　　　　No, I **don't**. ⎭

【註2】英國式的句子裡用 do 時，表一般的、習慣性的、經常的場合；用 have 表特殊的場合、某一時間的事情。

We **don't** have to go to school on holidays.（我們假日不必上學。）【習慣性的】

We **haven't** to go to school today.（我們今天不用上學。）【特殊的】

【註3】在口語中，常用 have got 代替 have。

I've **got** only one sister. = I **have** only one sister.（我只有一個妹妹。）

3. **do** 的用法：

⑴ Do（或 Does, Did）+ 主詞 + 原形動詞……形成疑問句

Do you take a bath every day?（你每天洗澡嗎？）

Do you go to school on Sunday?（你星期天上學嗎？）

⑵ 主詞 + do（或 does, did）not + 原形動詞……形成否定句

I **did not** (*or* **didn't**) **sleep** well last night.（我昨晚睡得不好。）

You **do not** (*or* **don't**) **study** hard.（你不用功。）

⑶ 加在原形動詞前成為加強語氣

Do tell me the truth.（一定要告訴我實話。）

Do come again.（一定要再來。）

I **do wish** you would come.（我真的希望你會來。）

They **did go** there.（他們的確去了那裡。）

⑷ 用於倒裝句（特別強調 never, rarely, little, well, seldom, so, only, happily 等副詞，而將它們置於句首。）（詳見 p.629）

Never did I see such an animal.（我從來沒見過這樣的動物。）

= I never saw such an animal.

Rarely do we see them nowadays.（現在我們很少看到他們。）

= We rarely see them nowadays.

⑸ do 做本動詞，否定句和疑問句仍需要加助動詞。

What <u>did</u> you <u>do</u> this morning?（你今天早上做了什麼？）
　　　　助　　　本

<u>Have</u> you <u>done</u> your work?（你的工作做完了嗎？）
　助　　　本

He <u>did</u> not <u>do</u> that.（他沒有做那件事。）
　　助　　　本

⑹ 簡單答話時，代替動詞，以避免重複，即作代動詞（Pro-Verb）用

　｛ Do you smoke?（你吸煙嗎？）
　　 Yes, I **do**（= smoke）.（是，我吸煙。）

Read just as I **do**（= read）.（照我所唸的唸。）

He runs faster than I **do**（= run）.（他跑得比我快。）

　｛ Who said it?（誰說的？）
　　 I **did**（= said it）.（我說的。）

I like apples, and so **does** she.（我喜歡蘋果，她也喜歡。）

（= I like apples, and she likes them, too.）

He doesn't like music, and neither **do** I.（他不喜歡音樂，我也不喜歡。）

（= He doesn't like music, and I don't like it, either.）

【注意】 do 不可代替 be 或助動詞（包括完成式中的 have）

　　　　 Are you a teacher?　Yes, I am.【不可用 Yes, I *do*.】

　　　　 Can you swim?　Yes, I can.【不可用 Yes, I *do*.】

　　　　 Have you finished your work?　Yes, I have.【不可用 Yes, I *do*.】

　　　　 I can swim and so can she.【不可用 so *does* she】

　　　　 I have not finished my work and neither has she.【不可用 neither *does* she】

⑺ **在下列情形，都不能用 do 來造否定句、疑問句**

　① 有其他助動詞時

　　Can you speak English?　　　　　　**Has** he come back yet?

　　She **can't** speak English.　　　　　　He **has not** come back yet.

　② 有 be 當本動詞時

　　Are you a student?

　　I **am not** a student.

　③ 疑問句已有疑問代名詞當主詞時

　　Who invented television?

　　Who told you?

　　但非疑問主詞仍要用 do

　　Where **do** you come from?（疑問副詞）【有些副詞，可代替名詞做主詞或受詞，參照 p.228】

　　How often **do** you come?（疑問副詞）

　④ 間接問句

　　Tell me **who invented television**.

　　I don't know **where he lives**.

⑤ 已有 not 以外的否定詞

I **never** saw such a beautiful sight.

No one came to see me.

4. will 的用法：(參照 p.330~333)

⑴ 第一、二、三人稱敘述句皆可表示意志

I **will** give you anything you want. (凡是你要的東西，我都會給你。)

You **will** have (= *You insist on having*) your own way, whatever I say.

(不管我怎麼說，你還是想怎樣就怎樣。)

He **will** have the window open although it is cold. (雖然天氣很冷，他還是要把窗戶開著。)

They **won't** accept your offer. (他們不願接受你的提議。)

The door **will** not open. (這個門就是打不開。)

⑵ 第二、三人稱敘述句還可以表示單純未來

You **will** have to come again. (你將必須再來。)

He **will** be glad to hear from you. (他將會很高興接到你的消息。)

⑶ 第二人稱疑問句 (即 **Will you**?)，表示詢問對方的意志 (因為由答話者決定)

A: **Will** you carry on with this work? (你要繼續做這個工作嗎？)

B: { Yes, I will. (是的，我要。)
    { No, I won't. (不，我不要。)

【注意】由詢問對方意志，演變出表示「**請求；勸誘**」之意。

Will you pass me the salt? (把鹽遞給我好嗎？)【用 Would you (please)…更客氣】

Won't you (= *Will you not*) go with me? (你不和我一起去嗎？)

⑷ 表習性、傾向

Mary **will** read for hours at a time. (瑪麗常常一連看幾個小時的書。)

Barking dogs **will** seldom bite. (【諺】愛叫的狗很少咬人。)

⑸ 表推測

This **will** be the book you are looking for, I think. (我想這可能是你要找的書。)

That **will** be an insect. (那可能是隻昆蟲。)

【注意】will not = won't 不可與 wont 混淆。wont (*adj., prep.*) "慣於" (*n.*) "習慣"

He **won't** come with me. (他不願意跟我來。)

He was **wont** to read a novel before sleep. (他習慣於睡前看小說。)

5. would 的用法：

⑴ 間接敘述的**主要子句的動詞為過去式**，則附屬子句中以 **would** 代 **will**，以求時態之一致，表過去的未來

{ She said, "I **will** do it." (她說：「我會去做。」)
{ She said that she **would** do it. (她說她會去做。)

{ He said to me, "She **will** be at home this afternoon." (他告訴我：「她今天下午會在家。」)
{ He told me that she **would** be at home that afternoon. (他告訴我，她那天下午會在家。)

⑵ 表示謙恭的請求 (通常用於疑問句) 實際上是省略了條件子句的假設法，比 will 客氣

Would you tell me the way to the station? (你能告訴我去車站的路嗎？)

【含有…*if I were to ask you?* 的意思，表示自己不該問而問，所以是謙恭的請求】

Would you mind lending me that book?（你介意把那本書借給我嗎？）

Would you like to join us for tea tomorrow?（明天你願意和我們一起去喝茶嗎？）

Would you be kind enough to do this for me?（你好心地替我做這個好嗎？）

【注意】would not 表示堅決地拒絕。

　　　　The professor **would not** let me take the examination.（教授拒絕讓我參加考試。）

　　　　He **would not** let me enter the classroom.（他拒絕讓我進教室。）

⑶ **表過去的習慣**（詳見 p.324）

She **would** often sit for hours without doing anything.（她常常一坐幾個小時，什麼都不做。）

Sometimes they **would** play tricks on their teacher.（有時候他們會捉弄老師。）

※ would 與 used to 意思相同，**would 表過去不規則的習慣**，但 used to 為過去較有規則的習慣，而且 **would 較主觀**，而 used to 較客觀，**過去和現在習慣對比時，要用 used to** 而不用 would。I am not what I **used to** be.（現在的我和以前的我不同了。）

⑷ **在條件句中 would 的用法**

① 表主詞之意志，並非表示與現在事實相反，而表示「禮貌」或「委婉」的語氣。

If you **would** only give up smoking, you could have a good digestion.

（只要你肯戒煙，你就能有好的消化機能。）

If you **would** only work harder, you would be sure to succeed.

（只要你工作更努力，你一定會成功。）

② 用於假設語氣中之主要子句。（詳見 p.361）

　a. 與現在事實相反的假設（也可表與未來事實相反）

　　If I were you, I **would** not do such a thing.（如果我是你，我絕不會做這種事。）

　　Even if I were rich, I **would** not buy jewelry.（即使我有錢，我也絕不買珠寶。）

　b. 與過去事實相反的假設

　　If the doctor had come earlier, John **would** have been saved.

　　（如果醫生早來一步，約翰就可能獲救。）

　c. 與未來事實相反的假設

　　If the sun were to rise in the west, I **would** lend you the money.

　　（如果太陽從西邊出來，我就借你錢。）

⑸ **would 代替 I wish 表決心或意向、祈望**（參照 p.370）

Would I were a bird!（但願我是隻鳥！）

Would (*or* **Would** to God) that he were still alive!（但願他還活著！）

Would that I had not wasted my time when I was young!（但願我年輕時沒有浪費我的光陰！）

Would (= *I would*) to God (*that*) I had not agreed.（天啊！真希望我沒有同意過。）

⑹ **would 的慣用語**

① would rather (= would sooner)（寧願）（參照 p.370）

I **would rather** not go to school.（我寧願不上學。）

Which **would** you **rather** have, tea or coffee?（你比較喜歡喝什麼，茶或咖啡？）

② would (*or* should) prefer（較喜歡；寧願），此慣用語中的 would 或 should 不可用 will、shall，或 can 代替。

I *would prefer* to go by bus.（我寧願搭公車去。）

③ would $\left\{\begin{array}{l}\text{rather}\\\text{sooner}\end{array}\right\}$ + 原形…than + 原形…（寧可…也不願…）

I **would sooner** stay where I am **than** go to such a place.
（我寧可留在原處，也不願去那種地方。）
I **would sooner** go dancing **than** swimming.
（我寧願去跳舞也不願去游泳。）【than 後省略 go】
I **would rather** be poor **than** get money by dishonest methods.
（我寧可窮也不願得不義之財。）

【注意】would rather (sooner) + have + 過去分詞，表示過去時間的寧願。
　　　　I **would sooner have drunk** ink than the strange mixture he gave me.
　　　　（我寧願喝墨水，也不願喝他給我的那種奇怪的混合物。）

④ would like（客氣的講法，作「願」或「欲」解）是從假設法演變而來較客氣的說法。

Would you **like** to have a drink with me?（你願不願意和我喝一杯？）
I **would like** you to do as I tell you.（我希望你照我告訴你的去做。）
He **would like** to hear your opinions.（他願意聽聽你的意見。）

【註1】**like** 與 **would like** 不同；like 為一般性的喜歡，would like 則等於 want。
　　　　I like music.（我喜歡音樂。）【表習慣，一般性】
　　　　I would like to go to the concert tonight.（我今晚想要去音樂會。）

【註2】**do you like** 與 **would you like** 也不同；前者是問對方之喜好，後者表請客之意。
　　　　Do you like music?　Yes, I do.（你喜歡音樂嗎？是的，我喜歡。）
　　　　Would you like some tea?　Yes, please.（你要喝點茶嗎？好，請拿來。）

　　　　※ "Do you like" 及 "Would you like" 之區別，在英語會話中非常重要，很多留學生，因對這兩句的誤解，常常鬧出笑話。例如問人家的愛好，常常說成 "Would you like chocolate?" 其實應該說 "Do you like chocolate?" 因為 "Would you like" 的意義有「請客」之意。如果你向人家說 "Would you like chocolate?" 人家回答 "Yes, please." 而拿不出 chocolate 來款待人家則甚為尷尬。

6. **shall** 的用法：（參照 p.330～333）

⑴ **在第一人稱敘述句、疑問句，shall 表單純未來**

I **shall** leave for Spain tomorrow.（我明天將去西班牙。）
We **shall** return in September.（我們將在九月回來。）
Shall I get there in time if I take this train?（如果我搭這班火車，我來得及到那裡嗎？）

⑵ **在第二人稱疑問句，shall 表單純未來**

How old **shall** you be next birthday?（你下次生日將幾歲？）
Shall you be at home tomorrow morning?（你明天早上在家嗎？）

【註】表單純的未來，如今有 will 漸代 shall 的趨勢。

⑶ **shall 用於第一人稱、第三人稱疑問句，表徵求對方的意見，此時 Shall = Do you want…to**

Shall I answer the telephone for you?（要我為你接電話嗎？）
= Do you want me to answer the telephone for you?

Shall he go on an errand?（你要他辦點事嗎？）

= Do you want him to go on an errand?

回答：(Please) Let him go.（叫他去吧。）

(4) shall 用於第二人稱，表威脅、禁止、命令

You **shall** pay me at your earliest convenience.（你必須儘快付我錢。）

You **shall** never deceive others.（你不可欺騙他人。）

If you do this again, you **shall** be punished.（如果你再這麼做，將會被處罰。）

但也可表善意的允諾：

You **shall** have (= *I will let you have*) the money as soon as I cash my check.

（我一兌現支票，就給你錢。）

(5) 表示立法、規章、法令、預言等，無論主詞人稱如何，一律用 shall

Thou **shalt** not kill.（不可殺人。）【聖經】

Freedom of thought and conscience **shall** not be violated.

（思想自由和良心是不容侵犯的。）

Ask, and it **shall** be given you.（求則必得。）【聖經】

Death is certain to all; all **shall** die.（死必臨萬物；萬物皆會死。）

【注意】shalt 是 shall 的古體，與 thou 連用。

(6) **Let's…** 後的附加問句用 **shall we**?

Let's go to the museum, **shall we**?（我們到博物館去，好嗎？）

7. **should** 的用法：

(1) **表義務，「應該」**

（should + 原形 → 現在及未來應該做）

（should + have + 過去分詞 → 過去應該做而未做）

He **should study** more. (*But he does not.*)（他應該更用功。）

I **should have finished** my work.（我早該做完我的工作。）【實際上還沒做完】

(2) **直接敘述轉爲間接敘述時，主要子句動詞爲過去式時，爲求時態之一致，在從屬子句中用 should 代 shall 表「過去未來」**

直接敘述：I said, "I **shall** be back before dark."（我說：「我天黑以前會回來。」）

間接敘述：I said that I **should** be back before dark.（我說天黑以前我會回來。）

(3) **表明顯的結果或合理的推論**，且所期待的事幾乎是事實，因此不是假設法。

Mary took dancing lessons for years; she **should** be an excellent dancer.

（瑪麗上了幾年的舞蹈課；她該是位很優秀的舞蹈家。）

It is three o'clock; the football game **should** begin soon.

（已是三點鐘了；足球比賽快開始了。）

(4) **在假設語氣中的用法**

① 假設法的未來式的 if 子句中，作「萬一」解。(參照 p.363)

If he **should** come, hand him this parcel.（萬一他來了，把這包裹交給他。）

If you **should** decide to buy a car, please tell me.（如果你決定買部車，請告訴我。）

② 用於假設法的主要子句中。(參照 p.361)

　　If I tried, I **should** succeed. (如果我嘗試，我就會成功。)

　　If I had tried, I **should** have succeeded. (如果我試過，我早該成功了。)

　　If you would come, I **should** be very glad. (如果你來，我會很高興。)

③ should like
　　would like ⎫⎬ = want (參照 p.310)

　　I **should like** (= *would like*) to go abroad. (我想要出國。)

　　I **shouldn't like** to say that. (我不想說那種話。)

　　【注意】 **should like** 與 **would like** 相同；should like 通常用於第一人稱，而 would like 則能用於各人稱。

⑸ **用於否定目的的連接詞後** (詳見 p.515)，**在美語中 lest 後 should 可省略。**

　　Let's hurry **lest** we (**should**) miss the train. (我們要趕快，以免錯過火車。)

　　You must study hard **lest** you (**should**) fail the course. (你必須用功，以免該科不及格。)

　　I take an umbrella with me **for fear that** it **should** rain. (我帶了一把傘，因為怕下雨。)

⑹ **表感情的場合**

① **疑問句中 should 表示驚訝、不合理、難以相信或不應該之事**

　　Why **should** he publish such a book? (為何他竟會出版這種書？)

　　Why **should** you be sorry about the news? (你為何對這消息感到難過？)

　　Should he do such a thing? (他會做這種事嗎？)

　　How **should** I know? (我怎麼會知道？)

　　Who **should** write it but himself? (不是他自己還有誰會寫呢？)

② 在下列句型中，說話者認為有「**應該如此**」或「**不合理、難以相信、不應該如此**」的意思，that 子句中的 should 是假設法，因為是表達主觀的意見，不是敘述事實。(詳見 p.374, 375)

It is (was)	no wonder　necessary　important　imperative　natural　strange　wonderful　regrettable	a pity　surprising　right　wrong　bad　good　proper　⋮	+ that + S +	should + 原形【表現在或未來】 should + 完成式【表過去】 (美語中 should 常省略)

　　It is **no wonder** that he **should** have succeeded. (難怪他會成功。)【表過去】

　　It is **a pity** that he **should** have failed. 【表過去】

　　(真可惜他失敗了。)

　　It is not **right** that one **should** speak ill of others. 【表現在及未來】

　　(說別人的壞話是不對的。)

　　It is **strange** that you **should** say so. 【表現在】

　　(你會這樣說真是奇怪。)

相似的句型：（以下 should 作「竟然；居然」解）

I am sorry that I **should** have spoken so rudely.【表過去】

（我很抱歉我竟然說得那麼粗魯。）

Who are you (*I am surprised*) that you **should** have so insulted our teacher?【表過去】

（你是何許人竟如此侮辱我們的老師？）

What has captivated his mind that he **should** have done that?【表過去】

（什麼迷了他的心竅，他竟做了那種事？）

③ 慾望動詞後 **that** 子句用 **should** 表示「應該」（參照 p.372）

$$
S_1 + \left\{ \begin{array}{ll} \text{suggest} & \text{order} \\ \text{insist} & \text{require} \\ \text{demand} & \text{request} \\ \text{command} & \text{advocate} \\ \text{recommend} & \text{arrange} \\ \text{propose} & \vdots \end{array} \right\} + \text{that} + S_2 + (\textbf{should}) + 原形動詞
$$

I demand that you (**should**) pay the check right away.（我要求你馬上付這支票。）

※ 以上動詞若改爲名詞形，句型不變。因爲句中仍然需要 should 表示「應該」的意思。

It is my request that he (**should**) go to the vocational school.（我要求他上職業學校。）

⑺ **慣用語**

I should say（我敢說）

I should say he is over fifty.（我敢說他已五十多歲了。）

I should think（我相信）

She is over fifty, I should think.（我相信她超過五十歲了。）

8. **can 的用法：**

⑴ **表能力：can「能夠」，can't「不能夠」**

He **can** swim three laps in the pool.（他能在游泳池裡游三趟。）

He **can** speak Spanish, but he **can't** speak Russian.（他會說西班牙文，但他不會說俄文。）

⑵ **表許可（can = may；can't = must not）**

Can I take my examination early?（我能不能早一點考試？）

You **can** have the book if you like it.（如果你喜歡這本書，可以拿走。）

【註】can 或 could 雖可表「許可」，但正式、莊重的場合用 may 或 might 爲宜。

⑶ **表示推測、可能**：用於肯定、否定、疑問句中，但肯定句若表示 "perhaps"「也許」時，須用 could, may 或 might。指現在用 can(not) + 原形，指過去用 can(not) + have + 過去分詞。

The road **can** be blocked. (= *It is possible to block the road.*)（路可能會被堵塞了。）

The road **could** (**may, might**) be blocked.（路也許被堵塞了。）

(= *Perhaps the road is blocked.*)

Can he have said so?（他會這麼說嗎？）

He **cannot** have said so.（他不可能會這麼說。）

Can he have done such a thing?（他會做這種事嗎？）

He **cannot** have done such a thing.（他不可能做這種事。）

【註 1】 **could** 也可表示對現在的推測，但比 can 委婉，如 cannot 是「不可能」表示毫無疑問地不可能，但 could not 是「不可能吧！」表示對某事沒有絕對的把握。

【註 2】 **cannot**, **can not** 兩種寫法因人而異，但 cannot 較為普遍，can not 有時被認為略為正式及加強語氣之用法。

⑷ **can 的未來式，以 be able to 代之**

I shall **be able to** overtake him. (我能趕上他。)

He will **be able to** go to Taipei tomorrow. (他明天能去台北。)

I **am unable to** (= cannot) walk. (我不能走路。)

【註】 **can 表能力時也可指未來**，特別是在條件句中。

He **can** come tomorrow. (他明天能來。)

If he is not interrupted, he $\left\{ \begin{array}{l} \textbf{can} \\ \textbf{will be able to} \end{array} \right\}$ finish by evening.

(如果沒有人打擾，他可以在傍晚前完成。)

⑸ **can 的慣用語**

① cannot but + 原形動詞 (不得不)(參照 p.419)

I **cannot but** admire his courage. (我不得不佩服他的勇氣。)

I **cannot but** tell her the truth. (我不得不告訴她實情。)

② cannot help + 動名詞 (不得不)(參照 p.441)

I **cannot help** admiring his courage. (我不得不佩服他的勇氣。)

I **cannot help** doing so. (我不得不如此做。)

I **cannot help** laughing. (我忍不住大笑。)

③ can but + 原形 (只好；不得不)(參照 p.419)

We **can but** agree with him. (我們只好同意他。)

④ cannot ~ too (再怎麼⋯也不為過)(參照 p.416)

We **cannot** be **too** faithful to our duties. (我們無論怎麼忠於職務也不為過。)

You **cannot** be **too** careful in the choice of your friends.

(你在擇友方面再怎麼小心也不為過。)

9. **could 的用法：**

⑴ **can 的過去式**

① 配合表過去的副詞的用法

He **couldn't** come yesterday. (昨天他不能來。)

She **could** drive a car by the time she was sixteen. (她十六歲的時候就能開車。)

② 直接敘述轉為間接敘述，若**主要子句動詞為過去式**，為配合時態，從屬子句中要以 **could** 代 can。

比較 $\left\{ \begin{array}{l} \text{He said, "}\textbf{I can}\text{ speak Chinese." (他說：「我會說中文。」)} \\ \text{He said he }\textbf{could}\text{ speak Chinese. (他說他會說中文。)} \end{array} \right.$

I asked if he **could** swim across the river. (我問他是否能游過那條河。)

⑵ **客氣的請求**

Could I borrow your pencil? (我可以借你的鉛筆嗎？)

Could you come and see me next Sunday? (你下週日能來看我嗎？)

【注意】用 could 比 may 或 can 更有禮貌，更委婉。在 can you 或 could you 中 can, could 等於 will, would。

⑶ **在假設句中的用法**

$\begin{cases} \text{could} + 原形動詞，表與現在事實相反 \\ \text{could} + \text{have} + 過去分詞，表與過去事實相反 \end{cases}$

① 用於假設語氣的條件子句中，表示能力

If I **could** fly, I should be very glad.（如果我能飛，我將會很高興。）

If he **could** have come, she would have been very glad.

（如果他當時能來的話，她一定很高興。）

② 用於假設法句中的主要子句

If I had enough money, I **could** buy it.（如果我有足夠的錢，就可以買它。）

If nations behaved more rationally and less emotionally, more of the world's problems **could** be solved.

（如果各國表現得更理性且不要感情用事，那麼世界上就有更多的問題會被解決。）

【註】could have + 過去分詞，表示對**過去能做而未做的事**感到惋惜、遺憾（屬於假設法，只是 if 子句未說出而已）。

I **could have passed**, but I did not study.（我可能及格，但我沒用功。）

He **could have joined** us, but he didn't get our invitation in time.

（如果不是他沒有及時收到我們的請帖，他可能會加入我們。）

⑷ **如果表能力時，could 與 was able to 是可以互換的**

I **could**（= *was able to*）swim when I was only six years old.（我才六歲就會游泳。）

The door was locked, and I **couldn't**（= *wasn't able to*）open it.（門鎖上了，我不能打開。）

【注意】若敘述**過去經過努力才完成的事**時，不能用 could，**只能用 was (were) able to**，此時 was (were) able to = managed to；succeeded in（+ ~ing）

Because he worked hard he **was able**（= *managed*）**to** pass his examination.

（因為他用功，所以通過考試。）

A: Something went wrong with my car when I was coming here.

（來這裡的途中，我的車子出了毛病。）

B: **Were you able to drive**（= *Did you succeed in driving*）it home or did you have to take it to a garage?（你是設法將它開回家，或是將它送進修車廠？）

⑸ **could 可表輕微的懷疑**

Yes, his story **could** be true, but I hardly think it is.

（是的，他的故事可能是真的，但我幾乎不認為那是真的。）

Well, I **could** do the job today, but I'd rather put it off until Saturday.

（嗯，我是今天就可以做那個工作，但我寧願拖到星期六。）

10. **may 的用法：**

⑴ **表許可（Permission）**

$\begin{cases} \textbf{May} \text{ I smoke in your car?（我可以在你的車上抽煙嗎？）} \\ \text{Yes, you } \textbf{may}\text{.（是的，你可以抽。）} \end{cases}$

You **may** go now.（你現在可以走了。）

【註1】can 也可以表許可，但 may 比較正式，更禮貌一點，may not 表否定，但較客氣。

You **may not** leave things half-done. (你不要把事情做一半。)

must not 語氣較普通，作「**不可**」解。

shall not 語氣強烈，作「**不許**」解。

【註2】① 回答 May I...? 答句中的 **may not** 爲「**不可以**」。

May I come in? (我可以進來嗎？)

No, you **may not**. (不，你**不可以**。)

② 回答 Can...? 答句中的 **may not** 爲「**可能不**」。

Can the story be true? (故事可能是眞的嗎？)

It may be, or **may not** be. (可能是，也**可能不**是。)

③ **may not** 也表示「**可以不**」。

You **may not** attend the meeting. (你**可以不**參加會議。)

(2) **表推測**：may + 原形 → 表現在或未來的推測；may have + 過去分詞 → 表對過去的推測

I **may** go, but I don't really want to. (我可能會去，但我其實不想去。)

It **may** rain, according to the weather report. (根據氣象報告，可能會下雨。)

She **may** have been beautiful once, but she is not anymore.

(她從前可能很漂亮，不過她現在再也不漂亮了。)

【註1】may 也可表肯定意味的「當然的可能」(= can)。

It is so quiet that one **may** hear a pin drop.

(寂靜得連一根針落在地上都可以聽得見。)

【註2】may 表「可能」時通常不用在疑問句中，而以 "Be + S + likely to" 或 "Do + S + think" 代替。

Is she likely to go abroad? (她有可能出國嗎？)

Do you think we shall win? (你想我們會贏嗎？)

(3) **用在表目的的副詞子句中**：
$$\left.\begin{array}{l} \text{that} \\ \text{so that} \\ \text{in order that} \end{array}\right\}$$
...may (爲了；以便)（詳見 p.513）

I open the window **so that** I **may** see the moon. (我打開窗子以便我能看到月亮。)

He will go abroad **in order that** he **may** continue his studies.

(他要去國外以便繼續他的學業。)

He takes every precaution **that** he **may** not fail. (他採取各種的預防措施，以免失敗。)

He comes **that** he **may** see me. (他來是爲了見我。)

He goes **that** he **may** not see me. (他走是爲了不要見我。)

= *He goes lest he should see me.*

(4) **用於祈願句中**：May + 主詞 + 原形動詞...（參照 p.368）

May you succeed! (祝你成功！)

May we never forget each other! (願我們彼此永不忘！)

Long **may** you live! (祝你長壽！)(= **May** you live long! 的加強語氣)

May heaven protect thee! (願上天保佑你！)

May you return safely! (願你平安地歸來！)

(5) **用於表讓步的副詞子句中**（詳見 p.527）

Whoever **may** say so, it is not true.（無論誰這麼說，它都不是眞的。）

Wherever you **may** hide, I'll find you.（不論你藏在什麼地方，我都會找到你。）

However hard you **may** study, you cannot master English in a month.

（不論你怎麼用功，也不能在一個月內精通英文。）

Come what **may**（= *Whatever **may** come*）, I will never desert you.

（無論發生任何事情，我絕不會拋棄你。）

(6) **習慣用法**

① may well + 原形動詞（= have good reason to…）（大可以；很有理由…）

She **may well** be proud of her son.（她大可以她的兒子爲榮。）

You **may well** say so.（你很有理由這樣說；你說得對。）

② may as well = had better（最好）

You **may as well** consult a doctor at once.（你最好立刻去看醫生。）

We **may as well** stay where we are.（我們最好留在原處。）

③ may as well + 動詞原形…as + 動詞原形…（與其…還不如…；最好…不要…）

You **might as well** throw your money away **as** lend it to him.

（與其把錢借給他，還不如把錢丟掉。）

One **may as well** not know a thing at all **as** know it but imperfectly.

（與其一知半解，還不如全然不知。）

【註】可用 might 代替 may 但語氣較委婉，因 might 是假設法動詞，說話者心中存有本不該說的念頭。

11. **might 的用法：**

(1) 爲時態一致，might 爲 may 的過去式

    ⎧ The newspaper says it **may** rain tomorrow.（報上說明天可能會下雨。）

    ⎩ The newspaper said it **might** rain tomorrow.

    ⎧ I think he **may** be ill.（我想他可能生病了。）

    ⎩ I thought he **might** be ill.

(2) **might 與 may 都可用來表現在或未來的推測**，但 may 的可能性大一點，might 可能性小一點，因說話者心中認爲不可能。（參照 p.356 可知 might 爲假設法動詞）

① It **may** rain this afternoon.（今天下午可能會下雨。）

② It **might** rain this afternoon.

第①句比第②句下雨的可能性大一點。

(3) **might 也可以用來表請求許可**，但比 may, can, could 更有禮貌。

Might I be excused early?（我可以早離開嗎？）

Might I see you for a few minutes, please?（請問，我可以見你幾分鐘嗎？）

(4) **在假設語氣中的用法**

    ⎧ might + 原形動詞 → 指與現在事實相反

    ⎩ might + have + 過去分詞 → 指與過去事實相反

If I **might**, I would try once again.（如果我能夠，我會再試一次。）

If I **might have bought** it, I would have done so.

（如果我當時可以買它，我就早買下來了。）【也可用 If I had bought it，但句意不同】

If you were older, you **might understand** my words. (如果你大一點，你會明白我的話。)

John **might have lent** you the money if you had asked.

（如果你當時向約翰開口，他會把錢借給你。)

【註】 **might** 可以表示「責備」或「忠告」。(只能用在肯定句中，且不可用 may，因 might 是假設法動詞，表示可以做而未做。)

You have broken two dishes. You **might try** to be more careful.

（你已經打破兩個盤子了，你要小心點！)【事實上你沒有小心】

You **might** at least **have said** hello to me. (你至少可以和我打個招呼啊！)

You **might have let** us know beforehand. (你可以事先讓我們知道嘛！)

You **might have helped** me with my work. (你大可幫我的忙呀！)【事實上是沒有】

12. **must** 的用法：

(1) 表示義務及強烈的勸告，作「必須」、「應該」、「一定要」解。

One **must** eat to live. (人必須吃飯以維生。)

The time is up. We **must** go. (時間到了，我們必須走了。)

You say you want to pass, so you **must** try harder.

（你說你要通過考試，所以你必須更努力。)

You **must** obey the traffic law. (你一定要遵守交通規則。)

In England traffic **must** keep to the left. (在英國，車輛行人一定要靠左邊走。)

【註】① must 的 { 過去式用 "had to…"，但在間接敘述中可用 must。
未來式用 "shall (will) have to…"。

We **had to** work last week. (我們上星期必須工作。)

I shall **have to** go there next week. (我下星期必須去那裡。)

{ He says he **must** (**has to**) go. (他說他得走了。)
He said he **had to** (**must**) go. (他說他必須走。)

{ I know he **must** (**has to**) go. (我知道他必須走。)
I knew he **had to** (**must**) go. (我知道他必須走。)

② 口語中常用 have got to 代替 must。(參照 p.330)

③ 表不需要，或沒義務時，用 need not 或 don't have to。

You **must** go in a hurry. (你必須趕快去。)

You **need not** go in a hurry. (你不用急著去。)

Time is up, but we **don't have to** go. (時間到了，但是我們不必走啊！)

④ **must** 和 **have to** 的區別

{ must 含強烈說話者的決意
have to 則表由外力、環境或習慣所使然

You **must** obey your parents. (你必須服從父母親。)

My cousin **has to** practice the violin every night. (我表妹每天晚上得練小提琴。)

(2) **must + not** 表禁止

You **must not** walk on the grass. (你不可踐踏草地。)

You **mustn't** smoke in class. (在課堂上不准抽煙。)

You **must not** pick the flowers in the park. (在公園裡不准摘花。)

【註】回答 must 疑問句的答句中，肯定用 must (有必要)，否定用 need not (沒有必要)。

A: Must I rewrite the report? (我得重寫報告嗎？)

B: Yes, you **must**. (是的，你必須重寫。)　　No, you **need not**. (不，你不必重寫。)

(3) 表肯定的推測 ⎰ **must + 原形** —— 對**現在**的推測
　　　　　　　⎨ **must have + 過去分詞** —— 對**過去**的推測
　　　　　　　⎱ **must be + 現在分詞** —— 對**未來**或**現在正在**的推測

表否定的推測：cannot + …

現在 ⎰ The lights went out. The electricity *must be* off. (燈熄了。一定是停電了。)
　　 ⎨ I failed the examination. You *must think* I am stupid!
　　 ⎱ (我考試不及格了，你一定認爲我很笨！)

過去 ⎰ She fainted. She *must have been* ill. (她昏倒了，她一定是生病了。)
　　 ⎨ He *must have received* my letter, which was mailed a week ago.
　　 ⎱ (他一定早就收到我在一週前寄的那封信。)

未來　According to the weather report, it *must be raining* tomorrow.
　　　(根據氣象報告，明天一定會下雨。)

現在　You look happy. You *must be having* a good time.
正在　(你看起來很快樂，一定玩得正開心。)

否定　The door is locked; he *cannot be* at home. He must have gone out.
　　　(門鎖上了；他不可能在家，他一定早就出去了。)

比較 ⎰ What he says *must be* true. (他說的一定是真的。)【肯定】
　　 ⎱ What he says *cannot be* true. (他說的不可能是真的。)【否定】

(4) **在假設語氣的主要子句中用 must have + 過去分詞，也可表與過去事實相反。**
You *must have been* recovered if you had taken medicine.
(如果你早吃了藥，你一定早就復原了。)【would 比 must 通用】
You *must have caught* the train if you had started earlier.
(如果你早一點啓程，你一定早就趕上那班火車。)【would 比 must 通用】

(5) **must 有時表示主詞「固執」的意味。**
The king **must** always have his own way. (國王總是爲所欲爲。)
It can't be helped; we **must** swim across the river. (沒有辦法，我們一定得游過這條河。)

(6) **must 還可表示過去不巧的事情，作「偏偏」解，= had to。** (表示發生了不希望發生的事)
Just when I was busiest, he **must** come worrying. (正當我最忙的時候，他偏偏來打擾。)
Just when we were ready to go away for the holidays, the baby **must** catch measles!
(正當我們準備動身出去度假時，偏偏嬰兒出麻疹！)
The car **must** break down just as we were going on our holiday.
(正當我們去度假時，車子偏偏拋錨了。)

13. **ought 的用法：**

否定句用	ought not to (oughtn't to)
疑問句用	Ought I (you, he…)?
	Oughtn't I (you, he…)?

⑴ **ought to（= should）+ 原形動詞** —— 指現在或未來，表義務、勸告、推測等作「**應該**」解
You **ought to** pay what you owe. (你應該付你所欠的。)
Ought he **to** behave like that? (他應該那樣做嗎？)
(= *Should he behave like that?*)【用 should 比較自然一點】

Your new suit *ought to be* ready *on Tuesday*. (你的新衣服應該週二就做好了。)【指未來】

You *ought to write* to her *as soon as you can*. (你應該儘快寫信給她。)【指未來】

【註】ought 之後不定詞 to 後原形動詞省略時，to 可省可留。疑問句用 ought，答句裡可用 should。

　　Ought I to go? (= *Should I go?*)

　　Yes, I think you **ought** (**to**).

　　Yes, I think you **should**.

⑵ **ought to** (= **should**) **have** + 過去分詞 —— 表「過去該做而未做的事」

He *ought to have graduated* from the university. (他早就該從大學畢業了。)

I thought she *ought to have arrived* home by now. (我認為她此刻早該到家了。)

※ 除去表推斷之外，還可對過去不當行為表指責。

　　You *ought to have told* me about this earlier. (你該早點告訴我這件事。)

　　You failed; you *ought to have studied* more. (你考試不及格，你早該多用功一點。)

　　You *ought not to have wasted* your time. (你不該浪費了你的時間。)

14. **dare 的用法：**

dare 有助動詞和本動詞雙重的性質：

> Does he dare to…? = Dare he…?　　(疑問句：Dare + 主詞 + 原形動詞)
>
> He doesn't dare to… = He daren't…　　(否定句：主詞 + daren't + 原形動詞)
>
> You don't dare to…, do you? = You daren't…, dare you?

⑴ **用於疑問句表「有勇氣與否」**

　（助）　**Dare** you jump from the top of that high wall? (你敢從那座高牆上跳下來嗎？)

　（本）　Do you **dare** to jump from the top of that high wall? (同上)

　（助）　**Dare** he speak to her? (他敢和她說話嗎？)

　（本）　Does he **dare** to speak to her? (同上)

　　　※ How dare you (he…)? 不是真正疑問句，而是對所做的事表示「憤怒、譴責」之意。dare 在此是助動詞。

　　　　How dare you open my drawer without my permission?

　　　　(你怎敢不經我同意就開我的抽屜？)

⑵ **用於否定句作「不敢」解**，此時 dare 即使當本動詞，其後面的 to 也可省略。

　（助）　He **daren't** touch the wire with his finger. (他不敢用手指摸那電線。)

　（本）　He **doesn't dare** (*to*) touch the wire with his finger. (同上)

　（助）　We **daren't** light a fire among the trees. (我們不敢在樹林中點火。)

　（本）　We **don't dare** (*to*) light a fire among the trees. (同上)

⑶ **在附加問句的形式中**

　（助）　You **daren't** climb that tree, **dare** you?　　Yes, I dare.

　　　　(你不敢爬上那棵樹吧，你敢嗎？)　　　　(是的，我敢。)

　（本）　You **don't dare** (*to*) climb that tree, **do** you?　　Yes, I do.

　　　　(你不敢爬上那棵樹吧，你敢嗎？)　　　　　(是的，我敢。)

（助）　She **daren't** ask him, **dare** she?　　No, she daren't.

　　　（她不敢問他吧，她敢嗎？）　　　　（不，她不敢。）

（本）　She **doesn't dare** (*to*) ask him, **does** she?　　No, she doesn't.

　　　（她不敢問他吧，她敢嗎？）　　　　　　（不，她不敢。）

【注意】① 在簡化的答話中只重複助動詞，意即 **dare 做助動詞時就重複 dare**，**dare 做本動詞時就重複 do**。

　　　② dare 不可用於 "…*and so dare I*" 或 "…*neither dare I*" 句型中。

　　　③ dare 做及物動詞時，作「**向…挑戰；激**」和「**敢冒（險）**」解。

　　　I **dare** him to ask the teacher to give us a holiday tomorrow.
　　　（我激他向老師要求明天放我們一天假。）
　　　The explorer **dared** the dangers of the icy north.
　　　（這冒險家敢冒著北方冰天雪地的危險。）

⑷ 慣用語 **I dare say** 或 **I daresay** 作「**我以為；我想**」解。

He is not here yet, but **I dare say** he will come later.
（他尚未來此，但我認為他待會就來。）
You are tired, **I dare say**. （我想你或許累了。）

【註】 dare 當作助動詞之過去式為 dared，古字為 durst，當本動詞則依規則動詞 + d 變化。
　　　He **dared** not tell the truth. （他不敢說實話。）
　　　〔= *He did not dare* (*to*) *tell the truth.*〕
　　　He **dared** to do what he knew was right. （他敢做他認為是對的事情。）

15. **need 的用法**：（當助動詞時，第三人稱，單數，現在式**不加 s**）

need 和 dare 一樣有助動詞和本動詞兩者的功能：

> Do you need to…? = Need you…?　　（疑問句：Need + 主詞 + 原形動詞）
> We don't need to… = We needn't…　　（否定句：主詞 + needn't + 原形動詞）
> He doesn't need to…, does he? = He needn't…, need he?

⑴ **need 在疑問句中作「必須；必要」解**

（助）　**Need** you get up so early? （你必須這麼早起？）

（本）　Do you **need** to get up so early? （同上）

（助）　**Need** you really be so rude to her? （你真的需要對她如此無禮嗎？）

（本）　Do you really **need** to be so rude to her? （同上）

（助）　**Need** he work so hard? （他需要如此努力地工作嗎？）

（本）　Does he **need** to work so hard? （同上）

※ need 和 must 都用以詢問有沒有必要，**need 發問是希望回答是否定的，主觀色彩濃**，而不是真正在詢問對方的意見，因此有疑問詞的疑問句不用 **need** 問。回答 **need** 或 **must** 的問句時，肯定一律是 **must**，否定是 **need not**。

Need I study, teacher? （我需要讀書嗎，老師？）
（= *I needn't study, need I, teacher?*）（我不必讀書，是不是，老師？）
Where **must** I take the bus? （我必須去哪裡搭車？）【不可用 *need*】

A: $\left.\begin{array}{l}\text{Need}\\\text{Must}\end{array}\right\}$ he go to school every day? (他需要天天上學嗎？)

B: **Yes**, **he must**. (是，他必須。)

　　No, **he need not**. (不，他不必。)

⑵ 在否定句中作「不需要」解，常用縮寫 needn't

（助）　I **need not** (**needn't**) tell you how sorry I am. (我不需要告訴你我有多難過。)

（本）　I **don't need to** tell you how sorry I am. (同上)

（助）　He **need not** (**needn't**) work so hard. (他不需要如此努力工作。)

（本）　He **doesn't need to** work so hard. (同上)

（助）　They **needn't** send the letter after all. (他們根本不需要寄那封信。)

（本）　They **don't need to** send the letter after all. (同上)

> ※ needn't「沒有必要」說話者主觀色彩濃；don't (won't) have to「沒有必要」是客觀或習慣性的沒有必要。
>
> You **needn't** go to the office; just take a rest at home. 【主觀的，說話者的意思】
> (你今天不用上班；就在家好好休息。)
>
> We **don't have to** go to school on Sundays. 【客觀的】
> (我們星期天不用上學。)

⑶ 在附加問句的形式中

（助）　She **needn't** finish the work today, **need she**?
　　　　(她今天不需要完成該工作，她需要嗎？)

（本）　She **doesn't need to** finish the work today, **does she**? (同上)

（助）　You **needn't** cash the check, **need you**? (你不需要兌現那張支票，你需要嗎？)

（本）　You **don't need to** cash the check, **do you**? (同上)

⑷ 指過去的「不需要」有下列兩種情況

　　didn't need to
① $\left.\begin{array}{l}= \text{didn't have to}\\= \text{hadn't (got) to}\end{array}\right\}$ + 原形動詞　（表示過去不必做而未做的事）

② **needn't have** + 過去分詞　（表示過去不必做而已做的事）

We had plenty of bread, so I **didn't need** to buy a loaf. 【我還沒買】
(我們有許多麵包，所以我不需要買一條。)

We had plenty of bread, so I **needn't have bought** a loaf. 【我已經買了】
(我們有許多麵包，我真的不須再買一條。)

He sent me the money he owed me, so I **didn't need** to write to him for it. 【我還沒寫】
(他寄來欠我的錢，所以我不必為此寫信給他。)

He sent me the money he owed me, so I **needn't have written** to him for it.
(他寄來欠我的錢，所以我不該為此還寫了信給他。)【我已寫了信】

I **need not have bought** this car. (我原本不需要買這部車。)【已經買了】

Need you **have scolded** him so severely for his bad work? He had done his best.
(你有必要那麼嚴厲地責怪他工作做得不好嗎？他已經盡力了。)
【此疑問句不是真正的問句，而是表示否定的敘述句】

⑸ **need** 做助動詞時，只用於否定句及疑問句中，在肯定句中常被 must 或 have to, ought to, should 所取代。

A: **Need** you work so hard?（你需要這麼努力工作嗎？）

B: Yes, I **must**.（是的，我一定要。）

You **needn't** see him, but I **must**.（你不需要見他，但是我必須見他。）

I **don't** think we **need** trouble about that.（我認為我們不必為那件事而煩惱。）

【注意】 need 做本動詞時則可用於肯定句。

It **needs** to be done immediately.（它必須立刻被做好。）

※ **如果肯定句中有否定副詞**（hardly, scarcely, never, no 等）**或是含有否定、疑問的意味**，仍可用 need。

I hardly **need** say how much I enjoyed the holiday.

（我幾乎不需要說我假期玩得多開心。—— 意即「當然玩得很開心」）

He **need** do it only under these circumstances.

（他只有在這些情況之下必須做它 —— 在其他的情況下不須做。）

That is all he **need** know.

（他所需要知道的就是那件事 —— 除了那件事之外，他不需要知道其他的事。）

He wonders if he **need** go.（他想知道他是否必須去。）

⑹ **need** 除了做助動詞、本動詞之外，還**可以做名詞**。

There is no **need** for anxiety.（不必焦慮。）

My **needs** are few.（我需要的東西很少。）

if **need** be = if necessary（如有需要；如有必要的話）

【注意】 **needs must** 或 **must needs** 中之 **needs** 為**副詞**，是用來加強語氣，作「**必要地；一定地；偏偏**」解。

A soldier **needs must** go where duty calls.（如果職責所在，軍人必須要去。）

Needs must when the devil drives.（【諺】為情勢所迫，不得不那樣。）

【是 You needs must do when the devil drives. 的省略】

He **must needs** talk to her when she does not care to talk.

（他偏偏在她不想講話的時候和她講話。）

【needs 在 must 之後通常含有諷刺之意，如此處表示：他愚昧地堅持要和她講話。】

16. **used** 的用法：

⑴ **used to** + 原形動詞：表過去（規則）的習慣、某時期的狀況，但現今已不存在

I **used to** smoke two packs of cigarettes a day, but I stopped.

（我過去一天要抽兩包煙，但我戒了。）

It **used to** take weeks to cross the ocean by ship.（以前坐船橫渡海洋需要幾個星期的時間。）

That is the house where we **used to** live.（那是我們以前住的房子。）

He does not come as often as he **used** (*to*).（他不像從前那樣常常來了。）

⑵ **used** 可直接形成疑問句、否定句

A: **Used** he **to** go to church every Sunday?（他以前每週日都上教堂嗎？）

B: No, he **used** not (*or* usedn't).（不，他沒有。）

A: There **used to** be an old apple tree in the garden.（從前花園裡有棵老蘋果樹。）

B: Oh, **used** there?（噢，是嗎？）

He **used to** live in Taipei, usedn't he?（他以前住在台北，是不是？）

He **usedn't to** make that kind of mistake.（他以前不會犯那種錯誤。）

【注意】以上是英式英文，如今，尤其是在美國，漸漸視 use 為本動詞，要用 do 形成疑問句及否定句。

He **didn't use to** smoke as much as he does now.（他以前抽煙沒有現在這樣多。）

He **used to** live in Taipei, **didn't he**?（他以前住在台北，不是嗎？）

Did you **use to** spend your summers in the mountains?

（你以前是不是經常在山區渡過夏天？）

Noise **did not use to** bother me, but now it does.

（以前噪音不會困擾我，但現在會了。）

⑶ used to 的意義不可與 **use（使用）**及其**過去分詞 used** 相混淆

I **use** the same knife which I have **used** for ten years.

（我現在仍在使用已用了十年的同一把刀子。）

A hammer is **used** for driving in nails.（鎚子被用來釘釘子。）

Wood is **used** to make desks and chairs.（木材被用來做桌椅。）

※ 此處 is used to 是「被用來」之意，used 為本動詞。

⑷ **注意區別下列的句型**

---

① 主詞 + used to + 原形動詞　〔從前（表過去的習慣）〕

② 主詞 + be used to + { 動名詞 / 名　詞 / 代名詞 } ＝ 主詞 + be accustomed to { 動名詞 / 名　詞 / 代名詞 }（習慣於）

③ 主詞 + get used to + { 動名詞 / 名　詞 / 代名詞 } ＝ 主詞 + become accustomed to { 動名詞 / 名　詞 / 代名詞 }（對⋯變習慣）

He **used to get** up early.（他以前起得很早。）【目前已不再早起】

He **is used to getting** up early.（他習慣於早起。）【目前仍然如此】

He **is used to doing** hard work. I'm **not used to** hard work, but I'll **get used to it** in no time.（他習慣於辛苦的工作；我則不習慣於辛苦的工作，但我很快就會習慣了。）

⑸ **would 有時候可代替 used to 表過去重複之習慣**

We **would**（＝ used to）listen while he told us of his adventures.

（當他告訴我們他冒險的事蹟時，我們總是洗耳恭聽。）

The old man **would** go every day to the park to feed the birds.

（這老人每天到公園餵鳥。）

【注意】① **would** 常跟時間副詞 **every day, often, frequently** 在一起連用。used to 則不必。

② 如果表過去狀態時，只能用 used to 而不能用 would。

There **used to** be a hotel around here.

（從前這附近有一間旅館。）【如今已不存在】

第四章 時 式（Tenses）

I. **基本時式**（**Primary Tense**）：動詞因動作或狀態的時間不同而分**現在**、**過去**、**未來**三種
時式，稱爲基本時式。在**主動**的直說法中，英文的動詞共有**十二種**時式，**被動**則只有**八**
種。以 write 爲例，先將其主動態直說法之十二種時式列表如下：

時間 人稱 數			簡 單 式	完 成 式	進 行 式	完成進行式
現在	1	單	I write	I have written	I am writing	I have been writing
		複	we write	we have written	we are writing	we have been writing
	2	單，複	you write	you have written	you are writing	you have been writing
	3	單	he writes	he has written	he is writing	he has been writing
		複	they write	they have written	they are writing	they have been writing
過去	1	單	I wrote	I had written	I was writing	I had been writing
		複	we wrote	we had written	we were writing	we had been writing
	2	單，複	you wrote	you had written	you were writing	you had been writing
	3	單	he wrote	he had written	he was writing	he had been writing
		複	they wrote	they had written	they were writing	they had been writing
未來	1	單	I shall write	I shall have written	I shall be writing	I shall have been writing
		複	we shall write	we shall have written	we shall be writing	we shall have been writing
	2	單，複	you will write	you will have written	you will be writing	you will have been writing
	3	單	he will write	he will have written	he will be writing	he will have been writing
		複	they will write	they will have written	they will be writing	they will have been writing

II.十二種時式之使用原則：

1. 現在簡單式（**Simple Present Tense**）

(1) 特性

① **be, have** 以外的動詞皆用原形。

② 主詞為**第三人稱單數者**，則原形動詞加 **s 或 es**。

③ (e)s 的變化規則與名詞的複數字尾變化相同。(詳見 p.285 第二章動詞的變化)

④ **be, have** 之特別變化

A. **be**		B. **have**	
I am	we are	I have	we have
you are	you are	you have	you have
he is	they are	he has	they have

(2) 現在式的用法：

① 現在的動作或狀態：凡是不能用進行式的動詞(參照 p.343)，都用現在式敘述現在的事情。

I **understand** this rule now. (我現在了解這條規則。)

The book **belongs** to me. (這本書是我的。)

I **am** hungry. (我餓了。)

② 現在習慣的動作或職業

I **go** to bed early and get up early. (我早睡早起。)

He usually **goes** to Miami in the winter. (他通常在冬天去邁阿密。)

I **spend** every summer in the mountains. (我每年夏天都在山區渡過。)

This man **teaches** English in a high school. (這個男人在一所中學教英文。)

【註 1】 表示習慣動作，常與表示「**經常**」的時間副詞連用，如 often, always, usually, seldom, every week…等。

【註 2】 下列片語亦表示「現在的習慣」

> am (are, is) used to +（動）名詞
> am (are, is) accustomed to +（動）名詞
> am (are, is) in (*or* have, make) the (*or* a) habit of + 動名詞
> make it a rule + 不定詞

I *am used to* getting up early. (我習慣早起。)

You *are accustomed to* taking a rest in the afternoon. (你習慣下午休息。)

He *is in the habit of* taking a walk after dinner. (他習慣在晚餐後散步。)

We *make it a rule to* hand in our assignments on time.

(我們規定準時交作業。)

【註 3】 助動詞 **will** 也可表示「現在無規律的習慣」

My sister **will** become depressed without any reason.

(我姊姊會無緣無故地沮喪起來。)

③ 不變的眞理或格言

Water **freezes** at 32° Fahrenheit. (水在華氏 32 度結冰。)

Americans **speak** English. (美國人說英語。)

Lead **is** heavy. (鉛很重。)

Coffee **comes** from Brazil. (巴西產咖啡。)

The earth **revolves** around the sun. (地球繞著太陽旋轉。)

It **snows** a great deal in some parts of Alaska. (阿拉斯加有些地方每年下很多雪。)

The law of supply and demand **sets** prices in a freely competitive market.

(在自由競爭的市場上供需法則決定價格。)

Actions **speak** louder than words. (【諺】行動勝於言辭。)

A stitch in time **saves** nine. (【諺】及時縫一針，省掉將來的九針；及時行事，事半功倍。)

【註】 極少數諺語用過去式和未來式，如：

　　Diamond cut diamond. (一物剋一物；勢均力敵。)

　　Accidents will happen. (天有不測風雲，人有旦夕禍福。)

④ **代替未來**

a. **來去動詞**，即表示「出發」、「開始」、「來往」的動詞，可用**現在式代替未來式**。如 go, come, start, leave, return, arrive, sail 等，並常和表示未來時間的副詞連用。

I **leave** for Taichung on Sunday. (星期天我要去台中。)

We **attack** at dawn. (我們在破曉時攻擊。)

The play **begins** at 7:30. (該劇在七點半開演。)

John **gets back** from the South tonight. (約翰今晚從南方回來。)

The Bonds **start** on their trip tomorrow. (龐德一家人要在明天開始他們的旅行。)

b. 表「時間或條件」的**副詞子句**，其未來的動作要用**現在式**表示。(參照 p.354)

He will be happy when he **hears** the good news. (當他聽到這個好消息，他會很高興。)

Let's wait here till he **comes**. (讓我們在這裡等他，直到他來爲止。)

I must finish this task before he **returns**. (在他回來之前，我必須把這個工作做好。)

If it **rains** tomorrow, I will stay at home. (如果明天下雨，我就留在家裡。)

I think he will come this evening. What shall I say when he **comes**?

(我想他今晚會來。他來的時候我要說些什麼呢？)

【注意1】 上述的情形**只限於**「副詞子句」；名詞子句、形容詞子句則仍用未來式。

If you **go** to the party, you will meet John.
　　副　詞　子　句

(如果你去參加宴會，你會遇到約翰。)

I don't know if you **will meet** John at the party.【做 know 的受詞】
　　　　　　名　詞　子　句

(我不知道你是否會在宴會中遇到約翰。)

Let us welcome him when he **comes** home. (當他回家時，讓我們來歡迎他。)
　　　　　副詞　子　句

I don't know when he **will come** home. 【做 know 的受詞】
　　　　　名　詞　子　句

(我不知道他何時才會回來。)

We must wait till he **comes**. (我們一定要等到他來爲止。)
　　　　　副詞　子　句

I think he **will come** very soon.【做 think 的受詞】
　　　名　詞　子　句

(我想他很快就會回來。)

【例外】名詞子句做 hope, assume, suppose,…等表「希望、猜測、認為」
動詞的受詞時，也可用現在式代替未來式。

I hope you (*will*) *like* it. (希望你會喜歡它。)

I hope he *comes* (*or will come*). (希望他會來。)

【注意 2】副詞子句中可用 will，此時 will 表「願意」(be willing to) 或「決心」(be determined to)。(參照 p.354)

If you **will** accept the invitation, we shall be very happy.
(假如你<u>願意</u>接受邀請，我們將會非常高興。)

⑤ 代替現在完成式

a. **hear**, **see**, **understand**, **forget**, **read**, **learn** 等表示「聽到」、「看到」、「已知」、「已忘」、
「已讀過」、「已學會」等。

I **forget** (= *have forgotten*) his name. (我忘了他的名字。)

I **understand** (= *have understood*) what you mean. (我明白你的意思。)

b. **It is** + (多久的時間) + **since**… 的句型可用 **is** 代現在完成式。(詳見 p.337)

It **is** (= *has been*) five years since I moved here. (自從我搬到此地已五年了。)

⑥ **用於命令或請求** (限於第二人稱)

Get out of my sight! (滾開！)

Telephone him if you have time. (如果你有時間，打個電話給他。)

When you see John tomorrow, **remember** me to him. (你明天見到約翰時，代我問候他。)

Don't write until I tell you. (除非我告訴你，否則不要寫。＝一直到我告訴你，你才寫。)

【註】感嘆句也用現在式表示，此用法常代替現在進行式。(參照 p.5)

Here **comes** the bride! (新娘來了！)

There **goes** our train! (我們的火車開走了！)

⑦ **代替過去式**：為了把過去的事情活躍在讀者的眼前，特別用現在式描寫，這被稱為**歷史的現在式**(**historical present**)。

We reached the top of the hill. What a sight we **see**! An endless plain **stretches** before us.
(我們到達山頂，那是多麼美麗的景色啊！一望無際的平原展現在我們面前。)

The lifeboat still **needs** one man. Ned Brown **wishes** to fill the place. But first he
bends gently to a woman who **stands** beside him, and **says** to her: "Mother, will you
let me go?"
(救生艇上還需要一個人，奈德‧布朗希望能填那個位子，但他先向站在旁邊的婦人禮貌
地彎下腰去，向她說：「母親，妳會讓我去嗎？」）

Caesar's army now **advances**, and the great battle **begins**.
(凱撒的大軍現在正在前進，一場大戰就要揭開序幕。)

Suddenly a cloud of dust **rises** to the west, and the defenders of the fort **strain** their
eyes to see whether it **betokens** another Indian attack or Sanfilippo returning with
the soldiers.
(突然間，西邊的塵土飛揚，守城的戰士睜大了他們的眼睛，來看一看那飛揚的塵土是表
示印地安人的另一次攻擊，或是珊菲利浦帶了援軍回來。)

【注意】這種「歷史的現在」初學英文的人最好少用。

【註 1】習慣上提到「某報上說」,「某書上說」時用 "**says**",因爲報章雜誌、書籍上
的文字內容是不會改變的,報紙、書雖是過去印的,還是用現在式。

The newspaper **says** that the meeting will be held at the Hilton Hotel.

（報上說,會議會在希爾頓飯店舉行。）

The book **says** that women can live longer than men.

（這本書說女人比男人長壽。）

【註 2】可在現在式動詞前加 **do** 表加強語氣。

He **does look** like his father.（他眞像他的父親。）

We do not speak Italian, but we **do speak** French.

（我們不會說義大利文,但我們確實會說法文。）

Do write to her!（一定要寫信給她！）

She may not be brilliant, but she **does get** good grades.

（她可能不怎麼聰明,但她的確得到好的成績。）

2. 過去簡單式（Simple Past Tense）

(1) 特性

① 即動詞的過去式:**規則的動詞**在其原形上加 **(e)d**,**不規則的動詞**要按不規則動詞表熟記。

② **be** 動詞

I was	we were
you were	you were
he was	they were

(2) 用法:

① **過去的狀態或動作**,常伴有表過去的時間副詞。

Napoleon **died** in 1821.（拿破崙死於 1821 年。）

I **received** two letters from home last week.（上週我收到了兩封家信。）

She **finished** her university studies at the age of twenty.

（她在二十歲時就完成了大學學業。）

I **did not read** the paper this morning.（我今天早上沒看報紙。）

They **left** an hour ago.（他們一小時前離開了。）

【註】有時沒有明確的過去時間副詞,但可由所提到的地點暗示出來。

I **saw** the movie when I **was** in New York.（我在紐約時,看了這部電影。）

② **過去的習慣動作**,常與時間副詞如 every day, seldom, usually 等連用。

My grandfather **rode** a horse to school **every day** when he was a child.

（我祖父在他年幼時,每天騎馬去上學。）

Last week, I **worked** until midnight **every night**.（上週,我每天工作到半夜。）

He **seldom felt** lonesome while he was traveling.（他在旅行時,很少感到寂寞。）

We **saw** him **from time to time**.（過去我們時常看到他。）

Every morning I **took** a walk when I lived in the countryside.

（當我住在鄉下時,我每天早上散步。）

【註 1】用 **used to + 原形動詞**,也可表過去的習慣動作而現在已經沒有了。（參照 p.324）

We <u>used to spend</u> our vacations in the mountains.

（我們從前是在山區渡假。）【暗示現在沒有在山上渡假】

We <u>spent</u> our vacations in the mountains.

（我們在山區渡過了我們的假期。）【沒有說明現在是否還在山上渡假】

【註2】**would** + 原形動詞，也可表示過去的習慣。

My mother **would go** downtown when she was not busy.

（我媽媽以前不忙的時候，常到市中心去。）

③ 配合時式上的一致，而用過去式動詞。

He **told** me that his mother **was** ill.（他告訴我他的母親生病了。）

He **said** that he **was** very tired.（他說他很疲倦。）

④ **did** + 原形動詞，表過去動作的加強語氣。

I **did study** for the examination.（我爲了那場考試，確實有用功。）

No matter what Mary said, he **did finish** the work.

（不論瑪麗怎麼說，他確實是把那工作做完了。）

⑤ 過去式和 **ever, never** 連用，表示「過去的經驗」。

Did you **ever see** a lion?（你曾看過獅子嗎？）

She **never heard** such a beautiful song before.（她不曾聽過這麼美的歌。）

【註】「過去某一段時間的經驗」用過去式表示。若是「過去一直到說話之前的經驗」用現在完成式表示。（參照 p.335）

⑥ 代替過去完成式：before 和 after 已經表明了時間的先後，所以可用過去式來代替過去完成式。

He **said** nothing before he saw Mr. Smith.（看到史密斯先生之前，他什麼話都沒說。）

= He **had said** nothing before he saw Mr. Smith.

⑦ 代替現在式：got to 作「必須」解時，是表示現在而不是表示過去，爲 have got to 的口語用法。

I *got to* go now. = I'*ve got to* go now.（現在我必須走了。）

You *got to* see a doctor. = You'*ve got to* see a doctor.（你必須去看醫生。）

【註】have got + 名詞，表示「有…」，是 have 的口語用法；美國口語中還可再將 have 省略，只用 got。（參照 p.306, 335）

I *got* a problem. = I'*ve got* a problem. = I *have* a problem.（我有一個問題。）

3. 未來式（Future Tense）

(1) 單純未來：

① 形式

區分 人稱	敘　述　句	疑　問　句	通　常　回　答
1	I shall…	Shall I…?	Yes, you will. No, you will not.
2	You will…	Shall (Will) you…?	Yes, I shall. No, I shall not.
3	He will…	Will he…?	Yes, he will. No, he will not.

【註1】縮寫形式 I'll, she'll, we'll 等，代名詞才有，名詞則不可，如 John will 不可寫成 *John'll*。

【註2】Shall we…? 回答用 We shall. 或 You will.

② 用法

(A) **敘述句：單純表示未來的動作或狀態**，自然的趨勢或必然之結果或非出於自由意志。

I **shall** be sixteen years old next month.（下個月我將是十六歲。）

【表自然的趨勢，因為年齡是沒有辦法用意志改變的】

You **will** get wet if you go out without an umbrella.（如果不帶傘出門，你會淋濕。）

【本句主詞雖然是人，但所敘述的事情，卻受表條件的子句所影響，而非主詞的自由意志，所以是單純未來】

We **shall** have a lot of rain next month.（下個月將會下很多雨。）

(B) **疑問句：用來問與任何人的意志均無關的事情。**

> **Shall** I be in time if I go now?（我若是現在去來得及嗎？）
> Yes, you **will**.（會的，來得及的。）

> **Will** he get angry if I tell the truth to him?（我若把實情告訴他，他會生氣嗎？）
> No, he **will not**.（不會，他不會生氣。）

> When **shall** you be in Taipei again?（你何時再到台北？）
> I **shall** be in Taipei next year.（我明年會再到台北。）

【註】　現代英語裡，單純未來，通常以 will 取代 shall。

I **will**（= *shall*）be twenty next year.（明年我將二十歲了。）

⑵ 意志未來：

① 形式

人稱＼區分	敘　述　句		疑　問　句（詢問對方的意志）	通　常　回　答
	主詞的意志	說話者的意志		
1	I will（我願…；我決心…）	同左	Shall I…?（= Do you want me to…?）	Yes, please do so. No, you need not.
2	You will（你願…；你決心…）	You shall…（我要你…）	Will you…?	Yes, I will. No, I will not.
3	He will（他願…；他決心…）	He shall…（我要他…）	Shall he…?（= Do you want him to…?）	Yes, please let (make) him do so. No, you need not let (make) him do so.

② 用法

(A) **敘述句：可表示主詞本人自己的意志，以及說話者的意志二種情形。**

Ⓐ 主詞之意志，三種人稱都用 **will**，此時 **will** = be determined to（決心）；be willing to（願意）。

No matter what you say, I **will** not go with her.
（不論你怎麼說，我都不願意陪她去。）

He **will** not join us in working.（他不願意和我們一起工作。）【he 的意志】

They **will** go swimming, rain or shine.（無論晴雨，他們都要去游泳。）【they 的意志】

【註】 ① **We will⋯** = **Let's⋯**

　　　　We **will** make haste. (我們要趕快。)

　　　　(= *Let's make haste.*)

　　② **主詞為無生命者**，用 will，常與 not 連用，作「**無法**」解。

　　　　The wood **will not** burn. (這木材無法燃燒。)

　　　　The door **will not** open. (這門無法打開。)

Ⓑ **說話者的意志**：句中的主詞須依照**說話者**（ I ）的意志行事，表示說話者對主詞所作的「**允諾**」、「**命令**」、「**威脅**」，此種用法僅用於二、三人稱，且都用 shall。

　　You **shall** have this book. 【表允諾】

　　(= *I will give you this book.*)

　　(你可以擁有這本書。)

　　He **shall** go at once. 【表命令】

　　(= *I will make him go at once.*)

　　(他必須立刻去。)

　　You **shall** die. 【表威脅】

　　(= *I will cause you to die.*)

　　(我要你的命。)

(B) 疑問句：疑問句的意志未來，用以徵求對方（ 即 **You** ）的意見時，即是你（ 們 ）要我如何如何，此種用法的 Shall I⋯? = Do you want me to⋯?

　　⎰ **Shall** I open the window? (我可以開窗嗎？；要不要我替你開窗？)
　　⎱ (= *Do you want me to open the window?*)
　　　 Oh, yes, please do so. (噢，請開吧。)

　　⎰ Where **shall** we put the umbrella? (我們應該把傘放在哪裡？)
　　⎱ You shall put it in the corner. (你要把傘放在角落。)

　　⎰ **Will** you come to the party? (你會來參加宴會嗎？)
　　⎱ Yes, I'll come around eight. (會的，我大約八點來。)

　　⎰ **Shall** he come? (他可以來嗎？)
　　⎱ Yes, let him come. (可以，讓他來吧。)

【注意】 ① 第一人稱問句，通常不用 Will I (we)⋯?；但是回答時，可先用 **Will I (we)?** 來反問，可再說出自己贊同或反對的意見。

　　　　⎰ You will get well very soon. (你很快就會好的。)
　　　　⎱ **Will I?** I don't believe it. (會嗎？我不相信。)

　　　　⎧ You will never pass the examination. (你絕不會通過考試。)
　　　　⎨ **Won't I?** (I am determined to pass it.)
　　　　⎩ 〔 我不會嗎？（ 我決定非通過不可。 ）〕

　　　　⎰ Will you come with me? (你要和我一塊來嗎？)
　　　　⎱ **Will I?** (To be sure, I will.) 〔 我願意嗎？（ 我當然願意。 ）〕

> Why won't you take it by force?（你為什麼不用武力把它搶來？）
> **Won't I?**　Yes, I will, I will take it by any force.
> （我不會嗎？當然，我會，我會用任何武力得到它。）

② **Shall we**…? 的問句之答句，**依是否包括被問者而改變。**

> **Shall** we come again?（我們要不要再來？）
> Yes, please do so at your pleasure.（要，有空請你們再來。）
> Yes, you shall come again.
> （要，你們要再來。）【不包括現在說話者用 you shall…】

> **Shall** we eat at the restaurant?（我們去餐廳吃飯好嗎？）
> Yes, let's go.（好，我們走吧。）【包括現在說話者用 let's…】

③ **Will you**…? 和 **Won't you**…? 可表示「**勸誘、邀請、請求**」等，
Would you…? 是表示「**請求**」的客氣講法。

Will you have some cakes?（來點蛋糕好嗎？）

Won't you go with us?（你不和我們一塊去嗎？）

Will you please lend me that book?（請你借我那本書好嗎？）

Would you be kind enough to do this for me?
（你能不能好心一點，替我做這個？）

⑶ **間接敘述中的 shall, will**

① **表示單純未來，照被傳達的主詞人稱而變化**

> 直接：He says, "I <u>shall</u> come."（他說：「我將會來。」）
> 間接：He says that he <u>will</u> come.（他說他會來。）

> 直接：She says, "He <u>will</u> succeed."（她說：「他會成功。」）
> 間接：She says that you <u>will</u> succeed.（她說你會成功。）

> 直接：He says, "You <u>will</u> pass the examination."（他說：「你會通過考試。」）
> 間接：He says that I <u>shall</u> pass the examination.（他說我會通過考試。）

② **表意志未來，間接敘述所有的 shall, will 照直接敘述不變**

> 直接：She says to me, "<u>Will</u> you do it for me?"（她對我說：「你願幫我做嗎？」）
> 間接：She asks me whether I <u>will</u> do it for her.（她問我是否願意幫她做。）

> 直接：He says, "She <u>shall</u> come."（他說：「她可以來。」）
> 間接：He says that she <u>shall</u> come.（他說她可以來。）
> 　　　或 He says that you <u>shall</u> come.（他說妳可以來。）

> 直接：She says, "I <u>will</u> do it."（她說：「我會去做。」）
> 間接：She says that she <u>will</u> do it.（她說她會去做。）

⑷ **不用 shall, will 表示「未來簡單式」的方法**

① **來去動詞**（表「往來」、「出發」、「到達」）**可用<u>現在式或現在進行式</u>表未來式**，通常和表示未來的時間副詞連用。

We leave Taichung **at six a.m.** and **arrive** in Taipei **at noon**.
（我們將於上午六點離開台中，中午抵達台北。）

I am watching the TV program **tonight**.（我今晚會看這個電視節目。）

② $\left\{\begin{array}{l}\textbf{be about to} + \textbf{V}（原形）\\ \textbf{be on the point of} + 動名詞\end{array}\right\}$ 【表很近的將來】

（就要；即將）

She **is about to** start on a journey.（她即將啟程去旅行。）

We **were on the point of** telephoning you when you arrived.

（你到達時，我們正要打電話給你。）

③ **be going to** + **V**（原形）**表示現在計劃好將來要做的事或將來可能發生的事。**

My wife **is going to** have a baby.（我太太快生小孩了。）

I **am going to** write to Jane this evening.（今晚我要寫信給珍。）

【註】① be going to 不能表單純未來。

$\left\{\begin{array}{l}\text{I } \textit{am going to} \text{ be twenty next year.【誤】}\\ \text{I shall be twenty next year.（我明年就二十歲了。）【正】}\end{array}\right.$

$\left\{\begin{array}{l}\text{Tomorrow } \textit{is going to} \text{ be the 20th of September.【誤】}\\ \text{Tomorrow will be the 20th of September.（明天是九月二十日。）【正】}\end{array}\right.$

② 句中若有表條件或時間的副詞子句時，也不可用 *be going to* 代替 will。

If I see him, I will give him your message.

（如果我看到他，我會把你的留言給他。）

When he comes, I will give him your message.

（他來的時候，我會把你的留言給他。）

上兩句的 will 千萬不能用 *am going to* 來代替。

④ **be** + **to** + **V**（原形）表示：⑴**預先的計劃** ⑵**說話者的意志**（如命令、勸告等）。

John and Mary **are to** meet us at the airport.【表「預先的計劃」】

（約翰和瑪麗會在機場接我們。）

You **are to** bring my baggage upstairs.【表「說話者的意志」】

（= *I want you to bring my baggage upstairs.*）

（= *You shall bring my baggage upstairs.*）

（你把我的行李拿到樓上來。）

⑤ 用助動詞 may, can, must, need, dare, should, ought to, would rather, had rather, had better 表未來式。

She **may** come to my office tomorrow morning.

（她明天早上可以到我的辦公室來。）

You **must** hand in your report the day after tomorrow.（你後天必須交報告。）

4. 現在完成式（**Present Perfect Tense**）

⑴ 形式：

① **have** + 過去分詞；**has** + 過去分詞

I **have finished** my work.（我做完了我的工作。）

He **has returned** from Tainan.（他已從台南回來。）

I **have finished** my dinner now.（現在我已吃完晚飯了。）

② **have got**

本來 have got 爲現在完成式的形式，但現今口語上已無完成的意思，而變成與 have 同義，作「擁有」解，意義較 have 明顯。(參照 p.330)

I **have got** a knife. (= I **have** a knife.) (我有一把刀子。)

I **have got** no time. (= I **have** no time.) (我沒有時間。)

⑵ **現在完成式的用法：**

① **表現在剛剛完成之動作**，常附有副詞，像：

already (已經 —— 肯定句)，yet (尚未 —— 否定句、疑問句)，just (剛剛)，now (現在)，recently (最近)，lately (最近)，today (今天)，this week (本週)，this morning (今天早上)，this afternoon (今天下午) 等。

I **have seen** him *this morning*. (今天早上我已經見過他了。)

We **have been** busy *this afternoon*. (今天下午我們一直很忙。)

I **have** *just* **finished** my homework. (我剛做完我的作業。)

> **Have** you **finished** your homework *yet*? (你把作業做好了嗎？)
> Yes, I **have finished** it *already*. (是的，我已經把它做好了。)
> No, I **have not finished** it *yet*. (不，我還沒有做好。)

He **has bought** a new car *recently*. (他最近買了一部新車。)

I **haven't heard** from Jane *lately*. (我最近沒收到珍的信。)

② **表過去某時到現在的經驗**，常和 ever (曾經)，never (從未)，before (以前)，in one's life (在某人的一生中)，once (曾經；一次)，twice (兩次)，several times (幾次) 等副詞連用。(過去式也可表經驗，參照 p.330)

> **Have** you *ever* **studied** Greek? (你曾學過希臘文嗎？)
> No, I **have** *never* **studied** Greek. (不，我從來沒學過希臘文。)

> **Have** they *ever* **been** to Miami before? (他們從前曾經到過邁阿密嗎？)
> Yes, they **have been** there *several times*. (是的，他們到過幾次。)

> **Have** you *ever* **traveled** in Italy? (你曾遊歷過義大利嗎？)
> No, I **haven't**. (不，我不曾。)

I **have seen** the play Macbeth at least *seven times*.

〔我看過 (莎翁四大悲劇之一的) 馬克白最少有七次之多。〕

He **has told** the same joke *so many times* that I am tired of it.

(同一個笑話他已經說過很多次了，以致於我都聽厭了。)

③ **表過去繼續到現在的動作或狀態**，常用 for, since 所引導的副詞表持續之期間；或與 how long (多久) 連用。

I **have collected** coins <u>for many years</u>. (我收集硬幣很多年了。)

Margaret **has studied** ballet <u>since she was a child</u>.

(瑪格麗特從小時候就學芭蕾舞。)

George **has been** in business <u>since he finished college</u>.

(喬治自從唸完大學後就從商。)

【註】用現在完成式表「繼續」的概念時，只能用含有繼續意義的動詞，不可用「一時性」的動詞。

His father *has died* for ages.【誤】
His father **died** ages ago.（他的父親很久以前就去世了。）【正】
His father **has been dead** for ages.【正】
It is ages since his father **died**.【正】
It has been ages since his father **died**.【正】
He *has arrived for two hours*.【誤】
He **arrived** two hours ago.（他兩個小時前抵達。）【正】
It's two hours since he **arrived**.【正】
It has been two hours since he **arrived**.【正】

④ 表過去某時發生的動作，其結果影響到現在，或其狀態繼續到現在。

He **has eaten** nothing today.（他今天什麼都沒吃。── 他現在一定很餓。）
I **have learned** the lesson by heart.（我已背下這一課。── 我現在可以背誦了。）
I **have lost** my watch.（我的手錶弄丟了。── 我現在仍舊沒有錶。）
（= *I lost my watch and I have no watch now*.）

⑤ 由 if, when, before, after, as soon as, etc. 引導表時間的副詞子句中，以**現在完成代替未來完成**。（因表時間和條件的副詞子句中不能以 shall, will 表示未來）（詳見 p.341）

He will return the book as soon as he **has done** with it.
（一等他看完那本書，他就會歸還。）

(3) 現在完成式在用法上應注意的事項：

① 不與表過去確定時間副詞連用，像 ago, then, yesterday, at that time, last week…等。
He has written a novel *last year*.【誤】
He wrote a novel last year.（他去年寫了一本小說。）【正】

② 現在完成式不與疑問副詞 when 連用。
When have you come?【誤】
When did you come?（你何時來的？）【正】
　【註】When **have** I **told** you this?（我什麼時候告訴過你這件事？）【正】
　　　　（= I don't think I have ever told you this.）
　　　　此句並非是一般疑問句，而是修辭疑問句等於否定敘述句，所以此時 when 不是指時間。（詳見 p.4, 663）

③ have gone：只用以表示動作的完成，表示「已經到…去了」，因此只可用於第三人稱；在面對面談話時，不可用於一、二人稱。

have been：表示經驗，即「曾經去過…」。

比較 ⎰ *I have gone to Japan*.〔我已到日本去。（人已到日本怎麼可能在這裡說話？）〕【誤】
　　 ⎨ I **have come** to Japan.〔我已來到日本。（現在在日本）〕【正】
　　 ⎱ I **have been** to Japan.〔我到過日本。（表經驗）〕【正】

比較 ⎰ *Have you gone to America?*【你在這裡和我說話，怎麼可能到美國去了呢？】【誤】
　　 ⎨ （你已經到美國去了嗎？）
　　 ⎨ **Have** you **come** to see me?（你是來看我的嗎？）【正】
　　 ⎱ **Have** you **been** to Hong Kong?（你去過香港嗎？）【正】

He **has gone** to France. (他已經去了法國。)【表動作完成】

He **has** often **been** to France. (他常到法國。)【表經驗】

④ **表繼續之現在完成式**，可與連接詞 since 所引導的副詞子句並用，此時主要子句為**現在完成式**，而 since 子句用**過去式**。

I **have known** him since he **was** a child.

(自從他是小孩時，我就認識他了。)

I **have** not **seen** her since I **saw** her last.

(自從上次見了她以後，我都沒有再見到她。)

但主要子句的**主詞為 It 時**，常以下列方式表達：(參照 p.492)

$$
\text{It}
\begin{Bmatrix} \text{is} \\ \text{was} \end{Bmatrix}
+ \text{若干時間} + \text{since} + \text{主詞} +
\begin{Bmatrix} \text{過去式} \\ \text{過去完成式} \end{Bmatrix}
$$

It **is** five years since I **saw** her. (上回見到她以來，已經五年了。)

It **was** five years since I **had seen** her. (見到她之後，已經五年了。)

主詞為 It 時，其後的 **is 和 was 可由 has been 和 had been 代替**，用 is, was 是標準用法，用完成式是通俗的用法，since 所引導的從屬子句，動詞通常用過去式，但**表示狀態動詞時，也可用現在完成式表示**。

It **is** (*or* **has been**) three years since I **have been** (*or* **was**) here.

(我在此地已經三年了。)

注意下列以 it 為主詞，及不以 it 為主詞時，時態的不同。

It **is** two years *since they married*. (他們結婚至今已有兩年了。)

= Two years **have passed** *since they married*. 【不可用 has passed，詳見 p.394】

It **was** three years *since they had married*. (他們結婚已三年了。)

= Three years **had passed** *since they had married*.

⑤ this morning, this afternoon, this evening 等，依說話的時間來決定用現在完成或過去式。

I **have written** two letters this morning. (今天早上我寫了兩封信。)【在早上説】

I **wrote** two letters this morning. (今天早上我寫了兩封信。)【在下午説】

⑷ **現在完成式與過去簡單式之比較：**

He **bought** a house ten years ago. (十年前他買了一棟房子。)【過去式】

He **has bought** a house. (他已經買了一棟房子。)【現在完成式】

第一句只告訴我們「他十年前買了一棟房子」，現在是否還擁有那棟房子就不一定了。

第二句告訴我們「他已經買了房子」，到說話的時候，他仍然擁有那棟房子。

I **lived** in Taipei for two years. 【過去式】

(我在台北住過兩年。)【現在不住在台北了】

I **have lived** in Taipei for two years. 【現在完成式】

(我在台北已經住了兩年了。)【現在仍然住在台北】

5. **過去完成式（Past Perfect Tense）**

⑴ **形式：**不論第幾人稱，也不論單複數，一律是 **had + 過去分詞**

⑵ **用法：**

① **在過去某時之前完成的動作；或在另一動作**（用過去簡單式）**發生之前所先完成的動作**（用過去完成式）。

The children **had** all **gone** to sleep at nine o'clock last night.（昨晚九點孩子們全都睡了。）

I **had** just **finished** watering the lawn when it began to rain.
〔（昨天）開始下雨前，我剛好把草坪澆完。〕

She **had learned** English before she came to England.（她在來英國以前，已學過英文了。）

She foolishly locked the safe, after the jewels and money **had been stolen**.
（在珠寶和錢財被偷之後，她才傻傻地把保險箱鎖好。）

I went there at the time agreed upon, but they **had** already **dispersed**.
（我在約好的時間去那裡，但是他們早已散去了。）

The lecture did not begin until everyone **had arrived**.
（等到每個人都到齊，演講才開始。）

② **表過去某時已有過**（肯定）**或未有過**（否定）**的經驗。**

As I **had seen** him before, I recognized him at once.
（因為我以前見過他，所以我立刻認出他。）

He **had never seen** a giraffe till then.（到那時為止，他還未曾見過長頸鹿。）

I asked him if he **had ever seen** a whale blowing.（我問他是否曾看過鯨魚噴水。）

③ **在過去某時之前的繼續動作**，表示某事繼續到過去某時已經有一段時間，常用 for, since 表一段時間。

比較 {
He **had been** ill for a week when he was sent to the hospital.
（當他被送進醫院時，已經病了一個星期了。）
He **has been** ill for a week.
}

比較 {
Everything **had gone** well up to that time.（直到那時，一切都很順利。）
Everything **has gone** well up to now.
}

比較 {
I was much grieved at his death; we **had been** good friends since our childhood.
（聽說他死了我很悲傷，我們從小就是好朋友。）
We **have been** good friends since our childhood.
}

④ 表示過去兩個不同時間發生的動作、狀態，**先發生的用過去完成式，後發生的用過去簡單式。**

I **gave** him the book which I **had bought** the day before.（我給他我前一天買的書。）

He **told** his mother about what **had happened** that morning.
（他告訴他母親關於那天早上發生的事。）

I **found** the watch which I **had lost**.（我找到了我遺失的手錶。）

I **had seen** him before he **saw** me.（在他看見我之前，我就看到他了。）

【註】 兩個過去的動作，用 and (then) 或 but 連接，**按照動作發生的順序表達時，兩者都用過去式**，表示過去的連續的動作。

{
I **bought** a hat but **lost** it.（我買了一頂帽子，但是弄丟了。）【按順序】
I **lost** the hat which I **had bought**.（我遺失了我買的帽子。）【不按順序】
}

⑤ **表過去未實現的希望或計劃**，常用的有 hope, expect, suppose, intend, mean, think, want 等。

I **had hoped** to pass the examination.（我原本希望能通過考試。—— 可是未通過）

We **had hoped** that you would be able to visit us, but you did not.
（我們本來希望你能來看我們，但是你沒來。）

She **had thought** of paying us a visit, but the bad weather made her change her plans.
（她本想來拜訪我們，但惡劣的天氣使她改變了計劃。）

I **hadn't** for a minute **supposed** (**expected**) that I should get the first prize.
(*But I did get the first prize*.)
（我從未料到我竟會得到頭獎。—— 可是我的確得了頭獎。）

I **had intended** (**meant**) to call on you, but was prevented from doing so.
（我本來打算去拜訪你的，但因故受阻了。）

We **had wanted** to see him, but found he was out.
（我們本來想去看他，但發現他出門去了。）

【註】此類動詞的過去式之後接**完成式不定詞**，也可以表示過去沒有實現的希望、計劃等。（詳見 p.423）

　　I <u>hoped to have passed</u> the examination.（我希望能通過考試。）
　　= I <u>had hoped to pass</u> the examination.

⑥ 在**間接敘述**中，以**過去完成式**代替直接敘述中的過去簡單式和現在完成式。

　　He said, "My uncle **came** to see me last night."（他說：「我叔叔昨晚來看我。」）
　　He said that his uncle **had come** to see him the night before.
　　（他說他叔叔前天晚上來看他。）

　　The lecturer said, "I **have studied** the problem for years."
　　（演講者說：「我研究那個問題已經很多年了。」）
　　The lecturer said that he **had studied** the problem for years.
　　（演講者說他研究那個問題已經很多年了。）

⑦ 在假設法的句子裡，**過去完成式是表示與過去事實相反的事情**。（詳見 p.362）

If she **had married** him, she would have been happier.
（如果她當初嫁給他，她會更快樂。）

If only you **had told** me!（你早告訴我就好了！）

He talked as if he **had known** everything.（他談話的樣子好像什麼都懂。）

He described the scene as vividly as if he **had been** there.
（他描述該場景是那麼地生動，好像他到過那裡似的。）

I wish I **had been** there at that time.（我希望我當時在場。）

⑶ **使用過去完成式應注意事項：**

① **敘述歷史的事實時**，不用過去完成式，**只用過去式**。

Our teacher told us that Columbus $\left\{ \begin{array}{l} \textit{had discovered}【誤】 \\ \textbf{discovered}【正】 \end{array} \right\}$ America in 1492.

（老師告訴我們，哥倫布於 1492 年發現美洲。）

② 由 before 或 after 引導副詞子句的句子中，**因 before 和 after 已表示出時間先後**，所以**可用過去式來代替過去完成式**。

After she (**had**) **left** the room, the thief came in.（她離開房間之後，小偷進來了。）

We (**had**) **arrived** home **before** it rained.（下雨之前，我們已回到家了。）

比較下列二句的時式：

{ The train **started** just **before** I **reached** the station.（我到車站時，火車剛開走。）
The train **had gone when** I **arrived** at the station.（當我到達車站，火車早已開走。）

③ no sooner…than, hardly…when (before), scarcely…when (before) 等連接兩個過去動詞時，先發生的動作，通常用**過去完成式**表示。（詳見 p.496）

No sooner had I **left** the house **than** it began to rain.

（我一離開屋子，就開始下起雨來。）

Hardly had he **reached** home **when** it began to rain.（他一到家，就開始下雨。）

6. 未來完成式（Future Perfect Tense）

⑴ **形式：will (shall) have + 過去分詞**

⑵ **用法：**

① **未來某時間之前，或另一未來動作前，已經完成之動作。**

I **shall have gone** to bed at ten o'clock P.M.（在晚上十時，我已經上床睡覺了。）

In two years (= *Two years from now*) he **will have received** the degree of doctor.

（再過兩年，他便已得到博士學位。）

You **will have reached** Hong Kong by this time tomorrow.

（明天這個時候，你已經到達香港。）

The taxi **will have arrived** by the time you finish dressing.

（在你穿好衣服之前，計程車就會到了。）

They **will have bought** a new house within three years.（三年內他們會買棟新房子。）

When you return here, the new building **will have been finished**.

（當你回來時，這棟新大樓已經造好。）

He **will have reached** home before the rain sets in.（在下雨之前，他已經到了家。）

② **敘述到未來某時已存在的經驗：**

I **shall have read** this book three times if I read it again.

（如果我再看這本書，我就已經看過三遍了。）

How many times **shall** (*or* **will**) you **have climbed** Mt. Jade if you climb it with us
  this summer?（如果你今年夏天和我們一塊去爬玉山，你就已經爬幾次了？）

③ **敘述某事繼續到未來某時為止已經有若干時間了：**

They **will have been married** for thirty years by 2020.

（到 2020 年他們結婚就滿三十年了。）

We **shall have lived** here for five years by next March.

（到明年三月，我們將在此住了五年。）

In 2019, if I am still alive, I **shall have been** in prison for ten years.

（如果我 2019 年還活著的話，我坐牢就滿十年了。）

④ **用 will have + p.p.，可以表示推測現在：**

Mother **will have received** my letter now.（母親現在可能已經收到我的信了。）

You **will have heard**, I expect, that Elizabeth is going to get married.

（我想你已聽說伊莉莎白將要結婚了。）

The students **will have read** the book already.（學生們大概已經唸過那本書了。）

【註 1】 表時間或條件的副詞子句中，不能用 **shall, will** 表示未來，要用現在完成式
代替未來完成式，就像以現在式代替未來式一樣。

I will repair your car when I $\left\{ \begin{array}{l} \textit{shall have finished}【誤】 \\ \textbf{have finished}【正】 \end{array} \right\}$ this job.

（當我做完這個工作，我就會修理你的車子。）

I will go with you, but wait until $\left\{ \begin{array}{l} \textit{I shall have written}【誤】 \\ \textbf{I have written}【正】 \end{array} \right\}$ this letter.

（我會和你一起去，但必須等我把這封信寫完。）

Please let me have a look at the paper if $\left\{ \begin{array}{l} \textit{you will have done}【誤】 \\ \textbf{you have done}【正】 \end{array} \right\}$ with it.

（如果你看完報紙，請讓我看一下。）

Unless she $\left\{ \begin{array}{l} \textit{will have done}【誤】 \\ \textbf{has done}【正】 \end{array} \right\}$ the work to my satisfaction, I shall not

pay her for it.（除非她把工作做得令我滿意，否則我不會給她錢。）

【註 2】 有些動詞本身已有「完成」的意思，可用簡單式代替完成式。

I shall $\left\{ \begin{array}{l} \text{have finished}【正】 \\ \textbf{finish}【正】 \end{array} \right\}$ the work before you return.

（我的工作在你回來之前就會做完了。）

I will lend you my pen when I $\left\{ \begin{array}{l} \text{have got through}【正】 \\ \textbf{get through}【正】 \end{array} \right\}$ my composition.

（當我寫完作文後，我就會把筆借給你。）

7. 現在進行式（**Present Progressive Tense**）

(1) 形式：

單　　　數		複　　　數	
I am You are He is	+ 現在分詞	We You They	are + 現在分詞

(2) **用法**：

① **表示現在正在進行的動作**：

We **are** now **playing** tennis.（我們正在打網球。）

I **am writing** a letter to my brother.（我正在寫信給我哥哥。）

It **is** still **raining** hard outside.（外面仍然下著大雨。）

② **表示在最近的未來、即將發生**，通常大都爲表「來去」的動詞，常與表未來之時間副詞
連用，可代替未來式。

We **are leaving** here tomorrow.（我們明天將離開這裡。）

I **am going** up to Taipei sometime next week.（我下週要抽個時間上台北去。）

It **is beginning** to rain.（要開始下雨了。）

【註】 表「來去」之類的動詞的現在式，也可表示未來。下面三句都是表示未來。

He **leaves** here tomorrow.
He **is leaving** here tomorrow. ⎫ （他明天離開這裡。）
He **will leave** here tomorrow. ⎭

③ 表示現在的安排或計劃未來要做的事

Are you **staying** here till next week? （你是不是打算在這裡待到下星期？）

She **is spending** her holiday at Sun Moon Lake.

（ = *She has made plans to spend her holiday at Sun Moon Lake.* ）

（她計劃要在日月潭度假。）

We**'re getting** married in March. （我們要在三月結婚。）

（ = *We have agreed to get married in March.* ）

（ = *We are to get married in March.* ）

Mr. Dill **is lecturing** on foreign policy next Wednesday. （迪爾先生下週三演講外交政策。）

Mrs. Astor **is giving** a party for foreign students next week.

（埃斯特太太將於下週為外國學生舉辦宴會。）

When **are** you **entertaining** the Smiths? （你什麼時候接待史密斯一家人？）

I**'m having** them over for cocktails on Saturday. （我要在週六請他們來參加雞尾酒會。）

④ 現在進行式與 always, continually, perpetually, constantly, forever (= for ever), all the time, all the while 等表「連續」的時間副詞連用，通常表示現在說話者認為不良習慣或不耐煩之意。

She **is always complaining**. （她老是在抱怨。）

Man **is perpetually pursuing** happiness. （人類經常追求幸福。）

I**'m always forgetting** people's names. （我總是把人家的名字忘了。）

His wife **is always wanting** money for new clothes. （他太太老是要錢買新衣服。）

Her husband **is continually complaining** of being hard up for money.

（她丈夫常常抱怨手頭很緊。）

You **are constantly laughing** at me. （你老是嘲笑我。）

He **is forever finding** fault with me. （他不斷地挑我的錯。）

The son **is all the while arguing** with his mother. （這個兒子一直和他的母親爭論。）

⑤ 現在進行式可以表示「同情」、「責備」、「強調」、「好奇」、「不滿」、「快樂」、「讚賞」等現在的感情與情緒。

Are you **feeling** better this morning? （你今天早上覺得好些嗎？）【表同情】

Why **aren't** you **studying**? （你們為什麼不讀書？）【表責備】

Well, I **am telling** you the truth! （嗯，我是在和你說真話啊！）【表強調】

What **are** you **doing** here, girls? （女孩們，妳們在這裡做什麼？）【表好奇】

John **is bothering** me *a good deal* of late and keeping me from work. 【表不滿】

（約翰最近一直煩我，使我不能工作。）

You **are helping** me, darling. （親愛的，你真的幫了我的忙。）【表快樂】

John **is doing** fine work at school. （約翰在學校裡表現很好。）【表讚賞】

⑥ **be going to** + 原形動詞，表示不久的將來（含有意志）(參照 p.334)

I **am going to** see my friend off this afternoon.

〔我（打算）今天下午給朋友送行。〕

How long **are** you **going to** stay here?

〔你（打算）在這裡停留多久？〕

【註】以物或 it 當主詞時，表說話者覺得最近的將來就要發生的事。

The moon is going to come out soon.（月亮可能馬上就要出來了。）

⑦ 不完全不及物動詞 **get**, **become**, **turn**, **run**, **go** 及表示一時性的動詞 **begin**, **forget**, **die**, **finish** 等的現在進行式是表示「逐漸」、「越來越」，或「快要」的意思。

Father **is getting** fat.（父親越來越胖了。）

The leaves **are turning** yellow.（樹葉逐漸變黃了。）

Our house **is becoming** old.（我們的房子漸漸變舊了。）

⑧ **must** + 進行式，或 **had better** + 進行式，表「立刻」之意。

I'm afraid I **must be going**.（我恐怕必須走了。）

We **had better be leaving** soon.（我們最好趕快離開。）

⑶ 不用進行式的動詞：

① 表示狀態的動詞，沒有進行式。我們只能說某種動作在進行，不能說某種狀態正在進行，所以表示「存在」、「所有」、「感情或感覺」之類的動詞都沒有進行式。

(A) 表事實狀態：

appear（似乎）	be（是）	belong（屬於）
consist of（由…組成）	contain（包含）	depend on（依賴）
exist（存在）	have（有）	hold（持有）
lie（位於）	live（住）	look（看起來）
need（需要）	own（擁有）	possess（擁有）
remain（停留）	represent（代表）	respect（關於）
result（導致）	seem（似乎）	signify（表示）
stand（位於）	want（缺乏）	resemble（像）

This house ⎰ belongs【正】 ⎱ to my aunt.（這棟房子屬於我伯母。）
　　　　　⎱ *is belonging*【誤】⎰

She ⎰ resembles【正】 ⎱ her mother.（她長得像她母親。）
　　⎱ *is resembling*【誤】⎰

I ⎰ have【正】 ⎱ a car.（我有一部車子。）
　⎱ *am having*【誤】⎰

This box ⎰ contains【正】 ⎱ tins of fruit.（這個箱子裝有水果罐頭。）
　　　　⎱ *is containing*【誤】⎰

Prices ⎰ depend on【正】 ⎱ supply and demand.
　　　⎱ *are depending on*【誤】⎰
（價格是依據市場之供需而定的。）

(B) 表心理情感狀態：

adore（愛慕）	agree（同意）	believe（相信）
care（在意）	dare（敢）	desire（想要）
dislike（不喜歡）	despise（輕視）	differ（不同於）
forget（忘記）	fear（害怕）	forgive（原諒）
hate（討厭）	hope（希望）	intend（打算）
know（知道；認識）	like（喜歡）	love（愛）
mean（打算）	mind（介意）	need（需要）
notice（注意到）	prefer（比較喜歡）	please（喜歡；願意）
recognize（認出）	respect（尊敬）	remember（記得）
think（以為）	understand（了解）	want（想要）
wish（希望）		

She { loves【正】 / *is loving*【誤】 } swimming, but { hates【正】 / *is hating*【誤】 } diving.
（她喜歡游泳，但討厭潛水。）

John { knows【正】 / *is knowing*【誤】 } my sister. （約翰認識我妹妹。）

I { think【正】 / *am thinking*【誤】 } that you are right. （我想你是對的。）

② **表一時性的動詞沒有進行式。** 動作為一時性，開始的時間就是結束的時間，沒有繼續的可能。

accept（接受）	allow（允許）	admit（承認）
complete（完成）	consent（同意）	decide（決定）
deny（否認）	determine（決心）	end（結束）
give（給）	promise（答應）	permit（允許）
resolve（解決）	receive（收到）	refuse（拒絕）

He { admits【正】 / *is admitting*【誤】 } that he is wrong. （他承認他錯了。）

She { denies【正】 / *is denying*【誤】 } that he is her boyfriend. （她否認他是她的男朋友。）

③ **感官動詞一般不用進行式。** 感官動詞指本能自然的動作，時間很短暫，不用進行式。

see（看見；明白）	hear（聽見）	smell（聞起來；聞到）
notice（察覺到）	perceive（察覺到）	feel（覺得）
taste（嚐起來；品嚐）	sound（聽起來）	

{ I don't **see** anything there. 【正】 / I *am not seeing* anything there. 【誤】 / （我沒看見有什麼在那裡。） }

I **see**（= *understand*）what you mean. （我明白你的意思。）

I **hear** a strange voice. （我聽到一個奇怪的聲音。）

Do you **taste** the pudding? (你嚐了這個布丁了沒？)

I **feel** a sharp pain in my arm. (我感到手臂一陣劇痛。)

I **smell** something burning. (我聞到有東西燒焦了。)

④ **表衡量之動詞無進行式**。如：measure〔有…長（寬、高等）〕，weigh（重… = have weight），value（評價），cost（花費），number（數量有…）等。

The guests **number** twenty. (客人有二十位。)

This room **measures** forty feet long. (這房間有四十呎長。)

⑤ **以主動語態代被動語態無進行式**。如：sell（賣），write（寫），wear（穿），read（讀）等。

This novel **sells** very well. (這本小說很暢銷。)

This pencil **writes** very well. (這枝筆很好寫。)

This cloth **wears** well. (這布料很耐穿。)

This play **reads** better than it acts. (這劇本讀起來要比上演精采。)

【注意 1 】以上所列不用進行式的字，若作括弧以外的解釋時，即可能有進行式，比較下列各組便可知道同一動詞有不同的意義，有時不可有進行式，有時可有進行式。

　{ She **has** something in her hand. (她手中有個東西。)
　　They **are having** (= *eating*) their lunch now. (他們現正在吃午餐。)
　{ He **is having** his hair cut. (他正在理髮。)

　{ I **hear** Mary singing. (我聽見瑪麗在唱歌。)
　　He **is hearing** (= *attending*) lectures on history. (他正在聽歷史課。)
　{ They **are hearing** (= *listening to*) the speech now. (他們正在聽演講。)

　{ I **see** an airplane flying in the sky. (我看見飛機在天空飛。)
　　Mary **is seeing** her friend **off** at the station.
　　(瑪麗在車站給她的朋友送行。)
　　We **are seeing about** a work permit for you.
　　(我們會留意幫你弄張工作證。)
　　They **are seeing** their solicitor tomorrow.
　　(他們明天將要去看他們的律師。)
　　The teacher **is seeing into** the matter.
　　(老師正在調查這件事。)
　{ I **am seeing** (= *visiting*, *meeting*) John tomorrow.
　　(我明天將和約翰會面。)

　{ I don't **think** so. (我不認爲如此。)
　{ What **are** you **thinking** about? (你在想什麼？)

　{ You **are** a fool. (你是個傻子。)
　　In certain matters you **are being** a fool.
　{ (在某些事情上，你確實是個傻子。) —— 特別狀態

　{ This paper **feels** rough. (這紙摸起來很粗糙。)
　　Henry **is feeling** (= *groping*) his way along the face of the cliff.
　{ (亨利正在懸崖上摸索路線。)

> She **lives** in Tainan.（她<u>住</u>在台南。）
> She **is living**（= *staying*）in Taipei.〔她現在（<u>暫時</u>）<u>住</u>台北。〕

> I **weighed** 68 kilos three months ago — and look at me now!
> （三個月以前我<u>體重</u>六十八公斤 —— 現在看看我！）
> The scales broke when I **was weighing** myself this morning.
> （今天早上我<u>正在量體重</u>的時候，體重計壞了。）

> I **measure** 75 centimetres round the waist.（我的腰圍<u>量起來</u>七十五公分。）
> Why's that man **measuring** the street?（那個人<u>正在測量</u>街道做什麼？）

> The school **stands** about four miles to the west of that city.
> （這學校<u>位於</u>那城市西方大約四哩處。）
> She **is standing** by the door.（她倚門<u>而立</u>。）

【注意 2】 比較各組同義動詞，上面的字表「動作」，下面的字表「結果」。**表示「結果」的字當然沒有「正在進行」的可能，因此沒有進行式。**

> look at *or* watch（看，觀察）—— 表動作，有進行式
> see（看見）—— 表結果，無進行式

> look for（尋找）—— 表動作，有進行式
> find（找到了）—— 表結果，無進行式

> recollect（回想）—— 表動作，有進行式
> remember（記得）—— 表結果，無進行式

> listen to（傾聽）—— 表動作，有進行式
> hear（聽見）—— 表結果，無進行式

> consider（考慮）—— 表動作，有進行式
> think（認為）—— 表結果，無進行式

I **am looking at** the picture and I **see** a dog in it.
（我<u>在看</u>圖畫，我<u>看見</u>了一條狗。）【see 是 look at 動作之結果】
I **am listening to** him, but I **hear** nothing.
（我<u>在注意聽</u>他說，但卻什麼也<u>聽不到</u>。）【hear 是 listen to 動作之結果】
They **are looking for** her. I **have found** her sleeping alone in her room.
（他們<u>在找</u>她，我<u>發現</u>她一個人在房間裡睡覺。）【find 是 look for 動作之結果】
I **am considering** changing my job. But I **think** I am too old.
（我<u>考慮</u>要換工作，可是我<u>認為</u>自己太老了。）【think 是 consider 動作之結果】
I **am recollecting** the past. I **remember** those happy days in the country.
（我<u>正在回憶</u>往事，我<u>記得</u>在鄉下那些快樂的日子。）
【remember 是 recollect 動作之結果】

8. 過去進行式（**Past Progressive Tense**）

⑴ 形式：

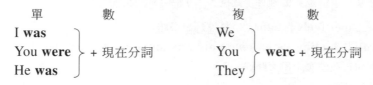

	單　　　數		複　　　數
I **was**		We	
You **were**	＋ 現在分詞	You	**were** ＋ 現在分詞
He **was**		They	

⑵ **用法：**

① **表在過去某一時候正在進行的動作。**

What **were** you **doing** at ten o'clock last night?（昨晚十點時你正在做什麼？）

I **was watching** television.（我正在看電視。）

She **was studying** when the lights went out.（當停電的時候，她正在讀書。）

When you came in, I **was writing**.（當你進來時，我正在寫東西。）

I came in while he **was writing**.（當他在寫東西時，我進來了。）

While I **was studying**, I fell asleep.（當我在讀書時，我睡著了。）

【注意】 連接詞 **when** 表短暫的一定點的時間，其所引導的子句用**過去簡單式**。

　　　　 while 表繼續的一段時間，其所引導的子句用**過去進行式**。

　　　 When the telephone **rang**, I was taking a shower.

　　　 （當電話鈴響時，我正在洗澡。）

　　　 While I **was taking** a shower, the telephone rang.

　　　 （當我在洗澡時，電話鈴響了。）

② **表過去兩個動作一起在進行時，兩個進行式連用。**

He **was playing** while I **was studying**.（當我在讀書時，他在玩。）

Mary **was sewing** while John **was fixing** the radio.

（當約翰修收音機時，瑪麗正在縫衣服。）

③ 不完全不及物動詞 get, become, turn, run, go 及表一時的動詞 begin, forget, die, finish 等的過去進行式，表示「**逐漸**」、「**越來越**」、「**快要**」的意思。

He **was dying** when his son rushed into his room.（當他兒子衝進他房間時，他已快死了。）

When I arrived at the theater, the play **was** just **beginning**.

（當我到達戲院時，戲剛要開演。）

The weather **was getting** warmer and warmer.（天氣變得越來越暖和了。）

【註】was (were) going to + 原形，表「**過去即將**」或**過去打算要做**，但未能達成。

　　　 He **was going to** leave when I came in.（當我進來時，他正要離開。）

　　　 She **was going to** attend the concert last night.

　　　 （她昨晚本來想去參加音樂會。── 但因故未能去）

④ 過去進行式與 always, continually, perpetually, constantly, forever（= for ever）, all the time, all the while 等表「連續」的時間副詞連用，通常表示**過去說話者認為不良的習慣**。

They **were always quarrelling**.（他們老是吵架。）

In his youth, he **was always idling** away his time.（在他年輕的時候，他常是游手好閒。）

My little brother **was continually asking** questions.（我弟弟老是問東問西的。）

Whenever I visited him, he **was always writing** at the desk.

（每當我拜訪他，他總是坐在書桌前寫東西。）

⑤ 間接引句中的過去進行式，意義上等於現在進行式。

He told me that she **was cooking** in the kitchen.【間接】

He said to me, "She **is cooking** in the kitchen."【直接】

（他告訴我她在廚房煮菜。）

9. 未來進行式（**Future Progressive Tense**）

⑴ **形式：**

單　　　數		複　　　數	
I shall be		We shall be	
You will be	＋ 現在分詞	You will be	＋ 現在分詞
He will be		They will be	

⑵ **用法：**

① **表示未來某點或某段時間將要進行的動作。**

What **will** you **be doing** at this time tomorrow?（明天這時候，你將做什麼？）

What **will** you **be doing** at seven o'clock?（在七點鐘時，你將做什麼？）

She **will be studying** at my house when you come tomorrow.

（你明天來的時候，她將在我家讀書。）

When I get home, my wife **will** probably **be watching** television.

（當我到家時，我太太可能正在看電視。）

If you go now, by the time you arrive there, he **will** still **be taking** an afternoon nap.
　You had better wait a little while.

（假如你現在去，當你到那裡的時候，他還在睡午覺呢！你最好等一會再去。）

② **表例行的或預定的未來行動。**

We **shall be going** to Taipei next week.

（我們下週將要去台北。）

I'll **be gambling** in Monte Carlo by this time next week.

（下週的此刻，我將在蒙地卡羅豪賭。）

The Wangs **will be staying** with us again next year.

（王家明年將再來和我們小聚。）

③ **未來進行式可表示輕微的命令。**

You **will be coming** at noon.（中午你要來呀！）

You **will be coming** at six o'clock.（六點鐘你來一下吧！）

【註】① 現在進行式也可表示未來，兩者常常可以通用；但若爲表示不確定的將來，
　　　　用未來進行式較佳。

> I am meeting my uncle tomorrow.
> （明天我要和我舅舅見面。—— 經過安排的）
> I'll **be meeting** my uncle some day (next month).
> 〔我有一天（下個月）要跟我舅舅見面。〕

② 第二、三人稱常用**未來進行式**表示**單純地敘述**將發生的事，不帶意志的作用。

比較 > He will go out.（他願意出去。）【表意志】
> He **will be going** out.（他會出去。）【表單純未來】

③ 疑問句裡常用 **Will you be ＋ 現在分詞**…? 作純粹詢問。

Will you **be writing** him tomorrow?（你明天會不會寫信給他？）

10. **現在完成進行式（Present Perfect Progressive Tense）**

(1) **形式：**

單　　　數		複　　　數	
I have been		We	
You have been	+ 現在分詞	You	have been + 現在分詞
He has been		They	

(2) **用法：**通常伴以表「期間」的副詞；大都由 for, since 所引導，**表示從過去某時間開始一直繼續到現在仍在進行的動作。**

I **have been waiting** for you about twenty minutes.
（我等了你大約有二十分鐘了。）
I **have been learning** English for five years.（我已經學了五年英文了。）
We **have been watching** television since eight o'clock.
（我們從八點起看電視一直到現在。）
It **has been raining** since last Sunday.（從上星期日下雨一直下到現在。）
The child **has been sleeping** all afternoon.（這小孩已經睡了整個下午。）
She **has been living** in the same house since she was born.
（從她一出生一直到現在，她都住在同一棟房子裡。）
Ever since I read the book, I **have been wanting** to meet the author.
（自從我看了那本書，我就一直想要和那位作者見面。）

(3) **現在完成進行式與現在完成式之比較：**

① 現在完成式著重**時間的經過**，現在完成進行式**強調動作的持續性質。**

> I have waited for two hours.（我等了兩個小時。）
> I **have been waiting** for two hours.（我等了兩個小時。—— 等得好辛苦）

② 現在完成式著重「事情」已完成，須把作為受詞的「事情」明白指出，現在完成進行式則無此顧慮。

> I have read "Tom Sawyer".（我讀過「湯姆歷險記」。）
> I **have been reading**.（我一直都在讀書。—— 沒有出去）

11. **過去完成進行式（Past Perfect Progressive Tense）**

(1) **形式：**不論第幾人稱也不論單複數，一律用：**had been + 現在分詞**

(2) **用法：**過去完成進行式是敘述某動作從較早的過去繼續到過去某時，並強調該動作在過去某時還在繼續進行，過去完成進行式的用法正如現在完成進行式的用法一樣，所不同的是，**現在完成進行式是以「現在」為基準，過去完成進行式是以「過去」某一時間為基準**，如：

> 比較
> He has been waiting for you a long time.（他已經等你很久了。）【現在完成進行式】
> He had been waiting for you a long time when I met him.【過去完成進行式】
> （我遇見他的時候，他已經等你很久了。）

The telephone **had been ringing** for three minutes before it was answered.

（電話已響了三分鐘，才有人去接。）

The patient **had been waiting** for two hours before the doctor arrived.

（在醫生到達之前，病人已等了兩個小時。）

We **had been corresponding** regularly for many years before his death.

（在他死之前，我們已有規律地通了很多年的信。）

He **had been living** in Taichung before he moved to Taipei.

（在他搬到台北之前，他住在台中。）

My servant knows a little English, for she **had been living** with an American family
   before I engaged her.

（我的佣人懂得一點英文，因爲在我雇用她以前，她一直住在一個美國人的家庭裡。）

【註】在**間接敘述中**，過去完成進行式代替現在完成進行式，以便使時式一致。

   I asked her what she **had been doing** since she arrived in England.

   （我問她，自從到英國後，她都在做些什麼。）

   She told me that she **had been studying** English literature.

   （她告訴我，她一直在唸英國文學。）

12. **未來完成進行式**（**Future Perfect Progressive Tense**）

   ⑴ **形式：**

單　　　數		複　　　數	
I shall		We shall	
You will	have been + 現在分詞	You will	have been + 現在分詞
He will		They will	

   ⑵ **用法：**敘述某動作將繼續到未來某時，並暗示該動作在未來某時可能還在繼續進行。

   It **will have been raining** a whole month if it does not stop raining tomorrow.

   （假如明天雨還不停，那就下了整整一個月了。）

   Next June I **shall have been living** here for three years.

   （到明年六月，我就住在這裡滿三年了。）

   By nightfall we **will have been working** ten hours without a rest.

   （到晚上，我們將一連工作了十小時而沒休息過。）

   We'll **have been practicing** for two hours when the soloist arrives.

   （當獨奏者到達的時候，我們將已經練習兩個小時了。）

第五章 時式順序的一致（Sequence of Tenses）

I. **主要子句與名詞子句動詞時式的一致：**

1. 主要子句的動詞是現在式、現在完成式、未來式時，名詞子句的動詞，可按照句意用任何時式。

I know
I have known
I shall know
{
that he works hard.
that he is working hard.
that he has worked hard.
that he has been working hard.
that he worked hard.
that he was working hard.
that he had worked hard.
that he had been working hard.
that he will work hard.
that he will be working hard.
that he will have worked hard.
that he will have been working hard.
}

2. **主要子句裡的動詞為過去式時，則其後的名詞子句的動詞要用過去形式。**

I thought
{
that he studied hard.
that he was studying hard.
that he had studied hard.
that he had been studying hard.
that he would study hard.
that he would be studying hard.
that he would have studied hard.
that he would have been studying hard.
}

從上面 1. 和 2. 的例句看來，我們可以得到一個結論：就是**主要子句的動詞改為過去式，則名詞子句必須隨之變化，其變化的原則如下：**

(1) 現在 → 過去

I **know** that he **is** honest.（我知道他是誠實的。）

I **knew** that he **was** honest.

(2) 現在完成 → 過去完成

I **know** that he **has gone**.（我知道他已經走了。）

I **knew** that he **had gone**.

(3) 過去 → 過去完成

I **know** that he **said** so.（我知道他曾這麼說過。）

I **knew** that he **had said** so.

(4) 過去完成保持不變

I **know** that he **had come**.（我知道他來了。）

I **knew** that he **had come**.

⑸ 現在式助動詞 → 過去式助動詞

I **know** that he **can** swim.（我知道他會游泳。）

I **knew** that he **could** swim.

⑹ 現在進行 → 過去進行

I **know** that he **is sleeping**.（我知道他正在睡覺。）

I **knew** that he **was sleeping**.

【註1】 名詞子句說的是真理或不變的事實，一律用現在式。

The professor **said** that Persian **belongs** to the Indo-European group of languages.

（教授說波斯語是屬於印歐語系。）

We **were taught** at school that water **consists** of hydrogen and oxygen.

〔在學校（老師）教導我們，水是由氫和氧組成的。〕

Our grandfathers **knew** that the sun **rises** in the east.

（我們的祖先都知道，太陽從東方升起。）

My father **said** that a rolling stone **gathers** no moss.

（我父親說滾石不生苔，轉業不聚財。）

Our teacher **told** us that honesty **is** the best policy.

（我們老師告訴我們，誠實為上策。）

【註2】 名詞子句說的是至今仍未改變的習慣，可用現在式或現在進行式（進行式也可表示說話者認為不良的習慣，參照 p.342 ④）

He **said** he **brushes** his teeth after every meal.（他說他每餐飯後都刷牙。）

He **said** that he usually **reads** the newspaper while he is waiting for the bus.

（他說他等公車時，通常會看報紙。）

The secretary **said** that she always **leaves** as soon as her boss goes home.

（秘書說她總是在老板一回家時就離開。）

He **told** his brother that I **am** always **finding** fault with him.

（他告訴他哥哥說，我總是挑他的錯。）

比較下列二例句：

{ He **said** he **gets** up at six o'clock every morning.

{ He **said** he **got** up at six o'clock every morning.

兩句都是表示過去的習慣。上句是表示他每天早上六點起床的習慣至今未改變。下一句是他過去都是早上六點起床，但已知或未知習慣已改變。

【註3】 名詞子句說的是歷史的事實，則用過去式。

We **learned** that America **was discovered** by Columbus in 1492.

（我們知道美洲是在 1492 年由哥倫布發現的。）

We **learned** that the first recorded Olympic Games **were held** in 776 B.C.

（我們知道第一次記載的奧林匹克運動會，是在西元前 776 年舉行的。）

【註4】 主要子句裡的動詞是過去式，但是**名詞子句裡所牽涉的時間，若仍然是現在或是未來的時間，則名詞子句要用現在式或未來式動詞表達**。

He **told** me that his father **is** still at work in the lawyer's office.

（他告訴我，他父親仍在律師事務所工作。）【現在仍然在工作】

He **told** me just now that he **is going** to England next month.

（他剛剛告訴我，他下個月要去英國。）【去的動作尚未發生】

He **said** just a moment ago that he $\left\{ \begin{array}{l} would 【誤】 \\ \textbf{will} 【正】 \end{array} \right\}$ come to my house **tomorrow**.

（他剛剛告訴我，明天要來我家。）

She **told** me that she $\left\{ \begin{array}{l} would 【誤】 \\ \textbf{will} 【正】 \end{array} \right\}$ go abroad **next summer**.

（她告訴我，她明年夏天要出國。）

【比較】　I **told** him that I $\left\{ \begin{array}{l} shall 【誤】 \\ \textbf{should} 【正】 \end{array} \right\}$ go there **the next day**.

（我告訴他，我第二天要去那裡。）

【此名詞子句所涉及的時間是對過去而言的未來，故動詞用 should，時間副詞用 the next day】

【註5】不論主要子句是何種時態，名詞子句中的助動詞 must, **ought to**, **need**, **had better** 不改變。(指過去的 must 也可用 had to 代替，參照 p.318)

I $\left\{ \begin{array}{l} think \\ thought \end{array} \right\}$ that the rumor **must** be true. (我想那謠言一定是真的。)

He $\left\{ \begin{array}{l} says \\ said \end{array} \right\}$ that we **ought to** begin the work at once.

（他說我們應該立即開始工作。）

I $\left\{ \begin{array}{l} am\ told \\ was\ told \end{array} \right\}$ that I **need** not go. (人家告訴我不必去。)

I $\left\{ \begin{array}{l} tell \\ told \end{array} \right\}$ you that you **had better** go to see a dentist.

（我告訴你，你最好去看牙醫。）

【註6】假設法的時式不受主要子句時式的影響。

He $\left\{ \begin{array}{l} \textbf{speaks} \\ \textbf{spoke} \end{array} \right\}$ English as if he **were** an American.

（他說起英文來，好像他是個美國人。）

I $\left\{ \begin{array}{l} \textbf{think} \\ \textbf{thought} \end{array} \right\}$ that if I **were** a bird I **could** fly to her.

（我想如果我是隻小鳥，就可以飛到她那裡。）

She $\left\{ \begin{array}{l} \textbf{demands} \\ \textbf{demanded} \end{array} \right\}$ that I **pay** her that money back.

（她要求我還她錢。）【本句為假設法，參照 p.372】

【註】引句裡的 If 條件句，改爲間接敘述時，<u>直說法條件句</u>的現在式要改爲過去式。

> He said, "If she **is** to start before six, she **will** be able to get there before dark."
> He said that if she **was** to start before six, she **would** be able to get there before dark.
> （他說如果她在六點以前出發，天黑之前她就可以到達那裡了。）

Ⅱ.**主要子句與副詞子句動詞時式的一致：**（實際上沒有一定的規則，只要和所涉及的時間配合一致便行）

1. **主要子句爲現在簡單式，副詞子句通常用現在簡單式、現在進行式，或現在完成式。**

   The secretary always **leaves** as soon as her boss **goes** home.
   （秘書總是在老板一回家時就離開。）
   I usually **read** the newspaper while I **am waiting** for the bus.
   （當我等公車時，通常會看報紙。）
   He never **goes** home before he **has finished** his work.
   （在他沒完成他的工作之前，他絕不會回家。）
   Some people **study** English that they **may work** in foreign firms.
   （有些人學英文是爲了能在外國公司工作。）

2. **主要子句爲過去式時，副詞子句通常用過去簡單式、過去進行式或過去完成式。**

   He **sat** there until the telephone **rang**.（他一直坐在那裡直到電話鈴響。）
   He **left** after he **had finished** the experiment.（他完成那實驗後就離開了。）
   They **were** still **waiting** when I **got** there.（當我到那裡時他們還在等。）
   John **was** still **going** to school while his brother **was becoming** a successful lawyer.
   （約翰在他哥哥快變成一位成功的律師時，他還在上學。）
   He **went** home that he **might see** his mother.（他回家看他母親。）

3. **主要子句爲未來式時，表「時間」及「條件」的副詞子句，不可用 shall, will 表示未來，**
   須用現在時式代替未來時式，現在進行式代替未來進行式，現在完成式代替未來完成式。
   （參照 p.327）

   I **will stay** here until the rain { **lets up**【正】 / *will let up*【誤】 } a bit.（我要留在這裡，一直到雨小一點。）

   I'll **think** it over while I { **am having**【正】 / *will be having*【誤】 } my lunch.
   （在我吃午餐時，我再考慮考慮。）

   I'm **going to** wait until John { **has finished**【正】 / *will have finished*【誤】 } his coffee.
   （我會一直等到約翰喝完他的咖啡。）

   They **will be having** dinner if he { **arrives**【正】 / *will arrive*【誤】 } at eight.
   （假如他八點來，他們將在吃晚餐。）

   【註1】 表示「意願」的副詞子句，可用 **will**。
   > I'll do the work if she **will** do it with me.
   > （她若願意和我一起做，我就要做這個工作。）
   > I shall be much obliged if you **will** give me an early reply.
   > （如果你願意早點答覆我，我會很感激。）

【註2】　when, if 引導的子句，若是**名詞子句或形容詞子句**，則表未來時該用 shall, will。

He will tell you <u>when you will start work</u>.（他會告訴你，你什麼時候開始工作。）
名詞子句

We are looking forward to the day when we **shall** have a new car.
（我們期待著我們會有新車的那一天。）

4. **主要子句為現在完成式時，副詞子句通常用現在完成式、現在完成進行式、過去式或未來式。**

I **have felt** much better since I **have been** here.（自從我到這裡，我就覺得好多了。）

I **have learned** a lot since I **have been attending** night school.

（自從我上了夜校，我學到了很多。）

He **has played** the piano since he **was** a child.（他從小就會彈鋼琴。）

5. 由連接詞 **as, than** 引導表示比較的附屬子句，可按實際情況用任何時式，不受主要子句控制。

He works
He worked   } as hard as {
He will work

I work.
I worked.
I shall work.
I have worked.
I had worked.
I shall have worked.

She was taller than { you are.（她比你高。）
you were at her age.（與她同年之時，她比你高。）

It **is** hotter today than it **was** yesterday.（今天比昨天熱。）

It **was** hotter yesterday than it **is** today.（昨天比今天熱。）

6. 由連接詞 lest 所引導表示**否定目的**的副詞子句中，助動詞 **should** 不因主要子句的時式而改變。

He { **works**
worked } hard lest he **should fail**.（他努力工作，以免失敗。）

Ⅲ.**主要子句與形容詞子句動詞時式的一致：**

形容詞子句的時式不受主要子句的影響，端視其本身所涉及的時間來決定。

The Carlo (*that*) I **know is** from Colombia.（我認識的卡蘿是哥倫比亞人。）

The letter (*that*) I **received** yesterday **is** on the desk.（昨天我收到的那封信在桌子上。）

Yesterday I **met** the man who **is going to speak** next.

（下一個要演講的，就是我昨天遇到的那個人。）

The work that you **gave** me **has** not **been finished** yet.（你交給我的工作尚未完成。）

He **puts** the letter (*that*) he **has answered** in this folder.

（他把已回覆的那封信放在這個文件夾裡。）

She **has** already **telephoned** the people who **are coming** tomorrow.

（她已經打電話給明天要來的人。）

This **is** about the best book (*that*) I **have** ever **read**.（這可能是我所看過最好的一本書了。）

第六章 語　法（Mood）

語法就是表達思想的方法，可分爲三種。一爲「**直説法**」，用以敍述事實或詢問事情；二爲「**祈使法**」，用以表達命令、請求、希望、禁止、禱告、勸告等；三爲「**假設法**」，用以表達願望、假設、目的、想像等非事實的觀念。

I. 直説法（Indicative Mood）：用以敍述事實或詢問事情。

The sun is larger than the moon.（太陽比月亮大。）

He got up late this morning.（他今早起得晚。）

Where does he live?（他住在什麽地方？）

How old are you?（你多大了？）

How beautiful she is!（她是多麽美麗啊！）

How fast the plane flies!（飛機飛得多快啊！）

Oil floats if you pour it in water.（如果你把油倒在水上，油會浮起來。）

If you have finished your homework by supper, we shall take you to the movies.
（如果你在晚飯前已經做完了作業，我們就帶你去看電影。）

If it rains tomorrow, I shall not go.（如果明天下雨的話，我就不去。）

【注意1】 我們必須先認清一個觀念，條件句並不是都屬於假設法；直説法、祈使法和假設法三種語法都有條件句。表示條件的副詞子句稱爲「**條件子句**」；含有「**條件子句**」的句子稱爲「**條件句**」。

（直説法） If it rains, I will stay at home.（如果下雨，我就留在家裡。）

（祈使法） Do that again, and I'll call your father.
　　　　　　（ = *If you do that again, I'll call your father.*）
　　　　　　（你如果再做那種事，我就去叫你父親來。）

（假設法） If I were not ill, I would go swimming.（假如我沒生病，我會去游泳。）

【注意2】 直説法的條件句，是以**事實或普遍的情況爲條件，説話者心中並未存與事實相反之意，因此不屬於假設語氣**，此種條件句中的動詞可適用於直説法的任何時式，比較下面二例，即可知直説法條件句與假設法條件句不同之處。

（直説法） If he **is to return** tomorrow, he **will take** me out.
　　　　　　（如果他明天回來，他就會帶我出去。）
　　　　　　【他是否要帶我出去，要看他明天是否回來爲條件，我不確定他是否回來，
　　　　　　　這全部是敘述事實，所以是直説法，if子句是副詞子句表條件】

（假設法） If he **were to return** tomorrow, he **would take** me out.
　　　　　　（假如他明天回來，他就會帶我出去。）
　　　　　　【事實上，他不會回來，而if子句裡所説的又是假想的條件，所以是假設法】

　　　　　　【注意】 should, would, could, might 這四個助動詞是假設法的記
　　　　　　　　　　　 號，在假設法的主要子句中一定要有它們。

【注意3】 由以上所述，我們可知部分文法書上表示「假設法現在式」的公式：「If + 現在式動詞…, 主詞 + shall (will, may, can) + 原形」是錯誤的。假設法只有<u>與現在事實相反</u>、<u>與過去事實相反</u>及<u>與未來事實相反</u>三種。如果依照上面的公式，則不可能造出下面的句子，這些句子都屬於表條件的直説法，可用於直説法的十二種時態（參照第四章），不是只限於上面的公式。

If you **are** right, I **am** wrong.（如果你對，我就錯了。）

If I **said** that, I **was** mistaken.（如果我說過那句話，我就錯了。）

If you **have done** your work, you **may go** to the cinema.

（如果你做完了你的工作，你就可以去看電影。）

If you **heat** butter, it **melts**.（假如你把奶油加熱，它就會融化。）

If you **are** tired, you **can take** a rest.

（假如你累了的話，可以休息一下。）

If he **arrived** only yesterday, he **will** probably not **leave** before Sunday.

（如果他昨天才到，他大概不會在星期日以前就離開。）

If you **spent** the night on the train, you probably **feel** tired.

（如果你在火車上待了一夜，你大概會覺得累。）

If he **promised** to be here, he **will** certainly **come**.

（如果他答應到這裡來，他一定會來。）

If he **had** never **done** much good in the world, he **had** never **done** much harm.

【**If** 在直說法中，有時作「即使；雖然」講】

（他在世上雖然沒有做過很多好事，但他也沒有做過什麼惡事。）

What **are** you **going to** do if it **rains**?（如果下雨，你打算怎麼辦？）

You **had better take** an umbrella with you in case it **rains**.

（你最好帶把傘，以防下雨。）

If I **am** not busy, I **will go** with you.（如果我不忙，我就和你一起去。）

If you **come** into my garden, my dog **will bite** you.

（如果你進入我的花園，我的狗就會咬你。）

【註 1】 should 作 ought to「應該」解時，if 子句可用直說法。

If you want to pass the examination, you **should** (= *ought to*) study harder.
（如果你想通過該考試，你應該更用功。）

If your parents disapprove of the plan, you **should** (= *ought to*) give it up.
（如果你的父母不贊成這個計劃，你就應該放棄它。）

【註 2】 直說法的條件子句和其他副詞子句一樣，其主要子句也可用祈使句。

Turn out the lights if (when) you leave.〔如果（當）你離開，就把燈關掉。〕

If (When) you go away, please write to me.〔如果（當）你離開，請寫封信給我。〕

If (When) the phone rings, answer it.〔如果（當）電話鈴響，就去接。〕

Don't come unless I tell you to come.（除非我叫你來，否則就不要來。）

【註 3】 在舊式英文裡，在條件子句中常用**原形動詞**。

（古）　If it rain, I will not go.（如果下雨，我就不去了。）

（今）　= If it rains, I will not go.

（古）　If the rumor be true, I shall be glad.（如果謠言是眞的，我會很高興。）

（今）　= If the rumor is true, I shall be glad.

（古）　Unless he do his best, he will not pass the examination.

（今）　= Unless he does his best, he will not pass the examination.

　　　　（除非他盡力，否則無法通過考試。）

II. 祈使法（**Imperative Mood**）：

1. 特性：

⑴ 表達命令、請求、希望、禁止、勸告等意思。

⑵ 主詞通常被省略。

⑶ 用原形動詞。

2. 祈使句的結構：

⑴ **普通的祈使句**：對第二人稱 you 的祈使，通常省略其主詞，用原形動詞。

Shut the door. (關上門。)

Be faithful to your friend. (對朋友要忠實。)

Be a good boy. (要做個好孩子。)

【注意】在下列三種情況下，祈使句也可保留主詞，此時主詞（you）要重讀。

① 引起注意或表示不耐煩。

Ýou follow my advice and don't ýou go. (你必須聽我的勸告，不要去。)

Ýou amuse yourself in any way you like. (你盡情享樂吧！)

Don't ýou be anxious! (你不要焦慮！)【不可寫成 *You don't*】

Don't ýou say that again. (你不要再那麼說了。)

② 同時對兩個人下命令。

Ýou stay here, and ýou see him as far as the station.

(你留在這裡，而你送他到車站。)

③ 主詞 you 可和稱呼合用。

Ýou sit here beside me, John. (約翰，你來坐我旁邊。)

Peter, ýou read. (彼得，你讀讀看。)

Ýou carry the table into the garden, John, and ýou girls take out some chairs.

(約翰，你把桌子搬到花園去，妳們女孩子帶些椅子出去。)

⑵ **表懇求、依賴的祈使句**，用 please；please 可置於句首或句尾。不過置於句尾時要加 comma（, ）。

Please speak more slowly. (請說慢一點。)

Speak more slowly, **please**. (請說慢一點。)

Pass me the bread, **please**. (請把麵包遞給我。)

⑶ **被動語態的祈使句**：Be (*or* **Get**) + **過去分詞**

Be loved rather than honored. (被愛比受人尊敬好。)

Don't **be deceived** by him. (不要被他騙。)

Get refreshed by sleep. (睡個覺以恢復精神。)

Be instructed by your elders. (要接受長輩的教導。)

⑷ **用 do 來加強語氣**

Do work harder in the future. (將來一定要更努力工作。)

Do give me something to eat. (一定要給我東西吃。)

Do tell me why you were angry! (務必要告訴我為何生氣！)

Do stop that noise! (務必停止那種噪音！)

⑸ **用 Don't**, **Never** 的否定祈使句表「禁止」。

Don't study too hard. (不要用功過度。)

Never put off till tomorrow what can be done today. (今日事，今日畢。)

【註】在古體英文中，助動詞 do 常被省略掉。

The rich man knows not who is his friend. (【諺】富人無忠友。)

Tell me not, in mournful numbers, life is but an empty dream!

(不要以哀傷的詩句告訴我，生活不過是場黃粱夢罷了！)

⑹ **用 no** + **動名詞或名詞，可代替祈使句表禁止。**

No smoking in class! (上課時禁止抽煙！)

= *Let there be no smoking in class!*

= *You must not smoke in class!*

No parking! (禁止停車！)

No surrender! (不要投降！)

No thoroughfare! (禁止通行！)【佈告】

⑺ **有時否定的祈使句用 have done 表示之，因為 have done 有 stop 的意思。**

Have done with nonsense. (廢話說夠了；少說廢話。)

= *Stop this nonsense.*

Have done crying like that. (哭夠了；不要哭了。)

= *Stop crying like that.*

⑻ **間接命令句，用 let** 表命令或依賴；此種祈使句通常是用於**第一或第三人稱**，其表達方式為：

> 肯定： Let + 受詞 + 原形動詞
> 否定： Don't let + 受詞 + 原形動詞
> 　　 = Let + 受詞 + not + 原形動詞

Let me see it. (讓我看看。)

Let her come in. (讓她進來。)

Let it be understood that I have no money left. (讓人們知道，我沒有錢了。)

Let nothing keep you from coming. (不要讓任何事情阻擋你來。)

Don't let him do it. (不要讓他做這件事。)

= *Let him not do it.*

Let there be no more of this quarrelling. (不要讓這樣的爭吵再發生。)

【註】下面句中 **let** 的用法已無命令或祈使之意。

Let this be a warning to you. (這件事就當作是對你的警告。)

Let no man deter you from speaking the truth. (對什麼人都要說實話。)

Let no success elate you. (不要成功了就趾高氣昂。)

Let young men bear this in mind. (年輕人應該牢記此事。)

Let it be. (隨它去吧。)

Let AB be equal to A′B′. (設 AB 等於 A′B′。)【數學用語】

Let others say what they will, I will go abroad. (不管別人怎麼說，我就是要出國。)

He can't speak French, let alone write it. (他不會講法文，更不用說寫法文了。)

3. 祈使句的特殊用法：

(1) **祈使句表條件，可與直說法的條件句互換。**

Work hard, and you will succeed. (如果你努力，你就會成功。)
= *If you work hard*, you will succeed.

Work hard, or you will fail. (努力吧，否則你會失敗。)
= *If you do not work hard*, you will fail.
= *Unless you work hard*, you will fail.

Drink too much, and you will injure your health. (喝過多的酒，你會損害你的健康。)
= *If you drink too much*, you will injure your health.

【註】在「祈使句 + and」句型中，句意明確時可將動詞省略，而以「**名詞 + and**」表示。

> **One more effort**, and you will succeed. (如果你再努力一下，你就會成功。)
> = *Make one more effort*, and you will succeed.
> = *If you make one more effort*, you will succeed.
>
> **One more word**, and I will turn you out of doors.
> = *Say one more word*, and I will turn you out of doors.
> = *If you say one more word*, I will turn you out of doors.
> (如果你再說一句話，我就把你趕出門外。)

但如果 and 之後的動詞表過去的動作或狀態時，則這種「名詞 + and」的句型並非祈使句，此時名詞的部分可改成由 when 或 after 引導的副詞子句。

A few minutes, **and** they went away. (過了幾分鐘，他們就走了。)
= **When** *a few minutes had passed*, they went away.

One slip, **and** he was carried away by the current.
= **After** *he made one slip*, he was carried away by the current.
(他滑了一跤，就被激流沖走了。)

(2) **祈使句可表讓步** (參照 p.527, 530)

Come what may, we must not lose courage.
= *Whatever may come*, we must not lose courage.
(無論發生什麼事，我們都不可失去勇氣。)

Be it ever so humble, there is no place like home.
= **Let it be ever so humble**, there is no place like home.
= *However humble it may be*, there is no place like home.
(無論家是多麼簡陋，沒有什麼地方可以比得上它。)

Say what we will, he doesn't want to change his mind.
= **Let's say what we will**, he doesn't want to change his mind.
= *Whatever we may say*, he doesn't want to change his mind.
(無論我們怎麼說，他都不想改變心意。)

Go where you may, you will be welcomed. (不論你到哪裡，都會受人歡迎。)
= *No matter where you may go*, you will be welcomed.

(3) **suppose** 和 **say** 可以單獨使用作爲獨立的祈使句，可表示一種**意見**、**假設**或**估計**等。

> Suppose = Let us suppose (that)
> Suppose we = Let us
> say = let us say = for instance

- **Suppose** he refuses. （假設他拒絕了。）
  = **Let us suppose** (**that**) he refuses.

- **Suppose we** arrange it this way. （假如我們如此安排。）
  = **Let us** arrange it this way.

- **Suppose we** go for a swim. （我們去游泳吧！）
  = **Let's** go for a swim.

- Lend me some money, **say** fifty dollars.
  = Lend me some money, **for instance**, fifty dollars.
  （借我一些錢吧，譬如說五十元。）

- You may learn to play the violin in, **say** three years.
  【(let us) say 也可視爲插入語，參照 p.478】
  = You may learn to play the violin in, **let us say** three years.
  （你可以用 —— 姑且說三年罷，學會拉小提琴。）【say = let us say = for instance】

Ⅲ. **假設法（Subjunctive Mood）**用以表示不可能實現的願望、想像、目的或極不可能發生的事情，或與事實相反的假設。這類句子通常由兩個子句合成。一爲**條件子句**（表示條件的副詞子句），一爲**主要子句**。因爲是假設法，所以**條件子句中的條件是不可能的事，而主要子句裡所獲致的結論也只是想像的，非眞實的**。假設法與時間的關係可分爲與現在事實相反的假設、與過去事實相反的假設和與未來事實相反的假設三種。

1. 與現在事實相反的假設（指現在的假設）

公式：

連接詞	條　件　子　句	主　要　子　句
If	① 過去式（或 were） ② 過去式助動詞 + 原形動詞	**should (would, could, might) + 原形動詞**

If she **had** more money, she **would dress** more fashionably.
（如果她有更多的錢，她會穿得更時髦。）
→ 事實上，她沒有更多的錢，所以她穿得很普通。

If he really **tried**, he **could** *easily* **win** the prize.
（如果他眞正努力去做的話，他能夠輕易地得獎。）
→ 事實上，他沒有努力去做，所以他沒得獎。

This soup **would taste** better if it **had** more salt in it.
（這個湯如果多放點鹽的話，一定味道更好。）→ 事實上，這湯放的鹽太少，味道不好。

If she **could help** you, she **would help** you.
（如果她能幫助你的話，她一定會幫助你。）→ 可惜她不能幫助你。

If I **might go** now, I **should go** with you.

（如果我現在可以去的話，我一定跟你去。）→ 可惜我不被准許去。

This cat **would eat** Peter if Peter **were** a fish.

（假如彼得是一條魚，這隻貓就會把他吃掉。）

→ 事實上，彼得不是一條魚，這隻貓也不可能把他吃掉。

2. **與過去事實相反的假設**（指過去的假設）

公式：	連接詞	條　件　子　句	主　　要　　子　　句
	If	**had** + 過去分詞	**should** (**would, could, might**) + **have** + 過去分詞

If it **had** *not* **rained** so hard yesterday, we **would have played** tennis.

（如果昨天沒下那麼大的雨，我們就會打網球。）

→ 事實上，昨天下了大雨，所以我們沒打網球。

If I **had known** her telephone number, I **would have called** her.

（如果我早知道她的電話號碼，我就打電話給她了。）

→ 事實上，我不知道她的電話號碼，所以我也沒有打電話給她。

The soldiers **would have fought** better if they **had been given** clear orders.

（如果士兵們得到更清楚的命令，他們可能會打個更漂亮的仗。）

→ 事實上，他們沒得到清楚的命令，所以他們打了一場很糟的仗。

The dog **would have bitten** you if it **had** *not* **been tied** up.

（如果那隻狗沒被綁好的話，可能就會咬你。）

→ 事實上，那條狗被綁好了，牠並沒有咬你。

If you **had told** him, he **might have made** some suggestions.

（如果你告訴了他，他可能會提一些建議。）

→ 事實上，你沒有告訴他，他也沒有提過建議。

If the semester **had ended** a week earlier, we **could have gone** to Mexico with my uncle.

（如果這學期早一個禮拜結束，我們可能和我叔叔去了墨西哥。）

→ 事實上，這學期沒有提早一週結束，我們也沒有和我叔叔去墨西哥。

If Germany **had** *not* **fought** against Russia in World War Ⅱ, do you think that the outcome of the war **might have been** different?

（如果在二次大戰期間，德國沒有和蘇聯打仗，你認爲戰爭的結果可能會不同嗎？）

→ 事實上，二次大戰期間，德國攻擊了蘇聯，所以戰爭的結局就是這個樣子，沒有不同。

If you **had followed** my advice, you **might have succeeded**.

（如果你聽從我的勸告，你可能已經成功了。）

→ 事實上，你沒聽從我的勸告，所以你沒有成功。

If I **had known** English was so difficult, I **would** *never* **have taken** it up.

（如果我早知道英文是這麼難，我就絕不會選修它。）

→ 事實上，我不知道英文困難，所以已經選修它了。

【註】有時「must have + 過去分詞」表與過去事實相反。（參閱 p.319）

3. **與未來事實相反的假設（指未來的假設）**

公式 1：

連接詞	條　件　子　句	主　　要　　子　　句
If	① **過去式**（與 p.361 公式相同） ② **were to** + 原形 　（表示未來絕對不可能）	**should (would, could, might)** + 原形動詞

If you **were** happy, you'**d make** others happy.
（如果你快樂，你也會使別人快樂。）
→ 事實上，你不快樂，所以你也不可能使別人快樂。

【注意】**If** 子句用過去式，可同時表示與現在事實相反，或與未來事實相反的假設，通常可
　　　　由上下文的文意來辨認，但若要明確地表示所涉及的時間，可加進**時間副詞**，就可
　　　　一目了然。

If you **were** happy *today*, you'**d make** others happy.
（如果你今天快樂，你也會使別人快樂。）
If you **were** happy *next week*, you'**d make** others happy. 〕（比較）
（如果你下星期快樂，你也會使別人快樂。）

If your father **knew** this, he **would be** angry.
（如果你父親知道這件事，他會生氣的。）【與上兩句相同，可同時表示與現在和未來事實相反的假設】

下面是一些 If 子句用 were to 的例句：

If the sun **were to** rise in the west, I **would lend** you the money.
（假如太陽從西方出來，我就借錢給你。）
→ 事實上，太陽絕不可能從西方出來，所以意含我不可能借錢給你。

If we **were to** live to be 200 years old, we **could change** everything.
（假如我們能活到兩百歲的話，我們就能改變每一樣東西。）
→ 事實上，我們將來不可能活到兩百歲，所以我們也不可能改變每一樣東西。

If he **were to** start tomorrow morning, he **would reach** home in the evening.
（如果他明天早上出發，他在晚上就會到家。）
→ 事實上，他不可能明天早上出發，所以他不可能在晚上到家。

公式 2：

連接詞	條　件　子　句	主　　要　　子　　句
If	**should** + 原形動詞 （作「萬一」解，表 可能性極小）	① 祈使句 ② **shall (will, can, may)** + 原形動詞 ③ **should (would, could, might)** + 原形動詞

If it **should** rain tomorrow, **don't expect me**.
（萬一明天下雨，就不必等我了。）
→ 事實上，明天很可能不會下雨，但是萬一下雨的話，就不必等我了。

【注意】有在條件子句用 should + 原形動詞，主要子句才可用祈使句。

If he **should** come late, **tell him to wait**.

（萬一他來遲了，告訴他要等一下。）

→ 事實上，他很可能不會來遲，但是萬一他來遲了，就告訴他等一下。

If he **should** lose, I **shall** (*or* **should**) feel sorry.

（萬一他輸了，我會感到遺憾。）

→ 事實上，他很可能不會輸，但是萬一他輸了，我會感到遺憾。

If he **should** be sick, he **would** send for the doctor.

（萬一他生病了，他會請醫生。）

→ 事實上，他很可能不會生病，但是萬一他生病了，他會請醫生。

【注意1】假設法的句子中可含有直説法的子句。

If I had known **that he was not at home**, I would not have called on him.

（假如我早知道他不在家的話，我就不會去拜訪他了。）

【that he was not at home 是直説法過去式】

Life would be too short, **he always says**, if hope didn't prolong it.

（他經常說，要不是希望延長生命的話，生命是太短暫了。）

【he always says 是直説法現在式】

If Mother had told me that truth **when I was young**, I would not make such mistakes so often now.

（要是母親在我年輕時就告訴我那個真理，我現在就不會常常犯這種錯誤了。）

【when I was young 是直説法過去式】

【注意2】假設法句子中二個子句，有時有一個是「**敘述事實**」，就用直説法；另一子句**表示**「**與事實相反的假設**」時，就用假設法。

If he **was** ill, he **should have gone** to see the doctor.

（如果他生病了，他就該去看醫生。）

【條件子句 was ill，是因爲説話者不知道他生病了沒，所以是直説法，不含假設之意；但是他並沒有去看醫生，所以主要子句用假設法】

【注意3】假設法中有些句子，**有時主要子句表與現在事實相反，條件子句表與過去事實相反**。

You **could answer** most of the questions *now* if you **had reviewed** the lessons *last night*. （假如你昨晚溫習過功課，你現在就會回答大部分的問題。）

If it **had rained** *last night*, the ground **would be wet** *now*.

（假如昨天晚上下雨的話，現在地面就會是濕的。）

【注意4】無論**假設法或直説法**的 if 子句中，都可用 **will** 或 **would** 表「**意志**」或「**客氣的請求**」。

I could do so, *if I would*. （如果我要做，我是能做的。）

She could come, *if she would*. （如果她願意的話，她可以來。）

*If you **would*** (= **will**) ***sign** this agreement*, I will let you have the money at once.

（如果你願意簽這合約，我就立刻把錢付給你。）

*If you **would*** (= **will**) ***be** kind enough to wait*, I'd go with you.

（如果你願意等，我就和你一起去。）

4. **If 和條件句**（直說法、祈使法、假設法三種語法都有條件句，參照 p.356）

(1) **相當於 If 的其他連接詞：**

在條件子句中，除了最常見的連接詞 If 之外，尚有以下很多個連接詞：

> unless, as (so) long as, in case, if only, only if, on condition (that), suppose (that), supposing (that), provided (that), providing (that), but that, so that, once, where…there, in the event that, only that 等（參照 p.519）

Supposing (*or* **Suppose**) she were here, what would you say to her?
（假如她在這裡，你會對她說什麼？）

In case she should come, hand this gift to her.（如果她來了，請把這份禮物交給她。）

No one, **unless** he be a lunatic, would do that.（除非是個瘋子，不然沒有人會那樣做。）

Provided that you bear the expense, I will consent.（如果你負擔費用，我就同意。）

So long as it be fine, I will start.（只要天氣好，我就出發。）

Suppose (**that**) I were your mother, I would not allow you to do so.
（假如我是你的母親，我不會讓你這樣做。）

I lent it to him **on condition that** he should return it.（我借給他，條件是他必須還。）

(2) **If 的省略：**

假設語氣中，表條件的副詞子句的 if 可以省略，但**主詞與動詞必須易位**。並且只有 were, had, should, would 等可以放在主詞前形成疑問句的字才可採用此省略。

If it were not for his illness, he could do better.（如果不是生病，他會做得更好。）
→ *Were it not for his illness*, he could do better.

If he had money, he would buy that villa.（如果他有錢，就會買下那棟別墅。）
→ *Had he money*, he would buy that villa.

If I had known your address, I would have written to you.
→ *Had I known your address*, I would have written to you.
（如果我早知道你的地址，我就寫信給你了。）

If he should fail, he would kill himself.（他萬一失敗，他會自殺。）
→ *Should he fail*, he would kill himself.

If I could do it, I would.（如果我能做，我一定會做。）
→ *Could I do it*, I would.

(3) **有許多格言、諺語是條件句省略而來。**

Waste not, **want not**.（不浪費，不會窮。）
= *If you do* not waste, *you will* not want.

Sow nothing, **reap nothing**.（不耕耘，無收穫。）
= *If you* sow nothing, *you will* reap nothing.

(4) **看不見的 If 子句：If 子句可以由不定詞、分詞、介詞、名詞、連接詞或形容詞子句代替。我們可以從句中的 should, would, could, might 而判斷是假設法，那麼 if 子句一定放在心裡，或用其他方式表示。**

① 不定詞片語：不定詞可當副詞用，修飾動詞表條件，**簡單式不定詞表假設法未來式**，見 (A) (B) 兩例。**完成式不定詞表與過去事實相反的假設**，見 (C) 例。

(A) **To hear him speak English**, one would take him for a foreigner.

= *If one were to hear him speak English*, one would take him for a foreigner.

（如果有人聽到他講英文，會誤以為他是外國人。）

【由 would take 便可推知其不定詞片語是表條件的】

(B) I should be happy **to go with you**.（如果能和你一起去，我將很高興。）

= I should be happy *if I could go with you*.

(C) She would have wept **to have heard the news**.（如果她聽到這個消息，她會哭泣。）

= *If she had heard the news*, she would have wept.

② 分詞片語：

Born in better times, he would have been a scholar.

= *If he had been born in better times*, he would have been a scholar.

（如果生在更好的時代，他早就成為一個學者了。）

【由 would have been 便可推知前面的分詞片語是表條件的】

Failing this, what would you do?（如果你這個不及格，你要怎麼辦？）

= *If you failed this*, what would you do?

③ 介詞片語：由主要子句的時式來決定「介詞」所代替的條件子句的時式。

With favorable winds, we might have gotten there in two days.

= *If we had had favorable winds*, we might have gotten there in two days.

（如果那時候順風的話，我們兩天就抵達那裡了。）

Without air, no one could live.（如果沒有空氣，沒有人能活。）

= *If there were no air*, no one could live.

But for you, I should lose my way.（如果不是你，我就迷路了。）

= *If it were not for you*, I should lose my way.

But for his poverty, he would have gone abroad.

= *If it had not been for his poverty*, he would have gone abroad.

〔假如不是因為他（當時）窮，他早就出國去了。〕

【注意】比較下列公式，可以區分 but for, but that, except for, except that 用法之不同。

（參照 p.522）

（參照 p.522）

主要子句（假設法）+	but for + 名詞片語	（如果不是因為）
	but that + 子句（直說法）	
主要子句（直說法）+	except for + 名詞片語	（除了…以外）
	except that + 子句（直說法）	

But for your help, I would have failed then.

= **But that** *you helped me*, I would have failed then.

（如果不是因為你幫我，我那時就會失敗了。）

Your letter is good **except for** the spelling.

= Your letter is good **except that** the spelling is unsatisfactory.

（你的信很好，只是拼字不太令人滿意。）

【註】but that 和 except that 都可用 only that 代替。（詳見 p.524）

④ **名詞片語：**

A Chinese would not do so.（如果是中國人，就不會這樣做。）

= *If he were a Chinese*, he would not do so.

A child could do that.（即使是小孩，也會做那件事。）

= *Even if one were a child*, one could do it.

A true friend would not have betrayed me.（如果是真正的朋友，就不會出賣我。）

= *If he had been a true friend*, he would not have betrayed me.

⑤ **連接詞：**（參照 p.474）

He saved me; **otherwise** I should have drowned.（他救了我，不然我早就淹死了。）

= He saved me; *if he had not saved me*, I should have drowned.

He is rich; **otherwise** (*or* **or else**) nobody would care about him.

= He is rich; *if he were not rich*, nobody would care about him.

（他有錢，不然就不會有人關心他了。）

⑥ **形容詞子句：**

Anybody **who had seen that painting** might have taken it for a photo.

= *If anybody had seen that painting*, he might have taken it for a photo.

（凡是看過那幅畫的人，可能會把它誤認為是照片。）

A man **who would succeed** should do his best.（想成功的人，必須盡全力。）

= A man should do his best, *if he would succeed*.

【註1】　在句意明確時，if 子句有時放在心裡不說出來。（參照 p.646）

I **would have stopped** him (*if I had been there*).

〔（假如我當時在那裡）我會阻止他的。〕

【註2】　主要子句有時也可以省略一部分或完全省略，此時表示**強烈的情緒**。

If he could do it, **why not**?（假如他能做，他怎麼不做呢？）

= If he could do it, *why should he **not** do it*?

What if the earth stopped revolving?（假如地球停止旋轉的話，結果會怎麼樣呢？）

= **What** would happen **if** the earth stopped revolving?

⑸ **even if 和 even though 的用法：**

even if 或 even though 其引導的子句如果是與事實相反，動詞應該用假設法；如果是敘述事實，則動詞應該用直說法。

① **假設法：**所敘述的並非事實。

Even if he **were** wrong, you **should** not **treat** him like that.

（就算他錯了，你也不該那樣對待他。）—— 事實上他並沒有錯。

Even though I **were** as rich as you, I **would** not **do** such a thing.

（即使我像你那樣富有，我也絕不會做那種事。）—— 事實上我不像你那樣富有。

Even if I **were** to sell all my clothes, I **could** not **pay** you all I owe you.

（即使我把衣服賣光了，也不能還清我所欠你的錢。）—— 事實上我沒有賣。

② **直説法**：所敍述的是事實，下面各主要子句中沒有**假設法動詞** should, would, could, might，可知爲直說法。

He borrowed my mower, **even though** I told him not to.
（雖然我告訴他不要借我的割草機，他還是借了。）

My grades were always excellent, **even though** I was often absent.
（雖然我時常缺席，我的分數總是很高。）

I always corrected the mistakes of others, **even if** they objected.
（我常常改正他人的錯誤，雖然他們反對。）

5. **表示「祈禱」、「祈願」的假設法**（即祈願句，參照 p.4, 641）

⑴ 主詞 + 原形動詞…！

God bless you!（上帝保佑你！）
God save our country!（上帝保佑我們國家！）

⑵ May + 主詞 + 原形動詞…！

May God bless you!（願上帝祝福你！）
May you succeed!（祝你成功！）
May we never forget each other!（願我們彼此永不相忘！）

⑶ Long live + 主詞…！

Long live the Republic of China!（中華民國萬歲！）
Long live the President!（總統萬歲！）
Long may you live!（祝您萬壽無疆！）（= *May you live long!* 的加強語氣）

6. **以 wish (that) 表示「願望」的假設法**

S + wish (that) + S	過去式或 were ……………………… 指現在
	過去完成式 …………………………… 指過去
	過去式助動詞 + 原形動詞 ……… 指未來

I wish I
- **were** there **now**.（我眞希望我現在在那裡。）
- **had been** there **yesterday**.（我眞希望我昨天去過那裡。）
- **could be** there **tomorrow**.（我眞希望我明天能去那裡。）

She wishes she **had had** a new dress for the party last week.
（她希望她有新衣服能穿去上週的宴會。）

I wish the rain **would stop** soon.（我希望雨很快就停了。）

【註 1】 主要子句 S + wish 表示「現在希望」，S + wished 表「過去希望」；用 wish 或 wished 是依據說話者表示希望的時間而定，**that 子句裡的時態不受 wish 或 wished 的影響。**

I **wish** I **had taken** your advice.
（= *I regret that I did not take your advice.*）
〔（我現在在想）我要是接受你的勸告就好了。〕
= 我現在後悔沒有接受你的忠告。

I **wished** I **had taken** your advice.

(= *I regretted that I had not taken your advice.*)

〔（我過去某個時間在想）我要是接受你的忠告就好了。〕

＝ 我（前些日子）在後悔我沒接受你的忠告。

【註2】 wish 之後的 that 子句裡也可以用 **may**，以表示將來的願望與祝福。如：

I **wish** it **may** not prove a failure. (我希望不要失敗才好。)

I **wish** I **may** live to see it. (要是我能活著看到它就好了。)

【註3】 wish 之後的 that 子句中，**可用 you would 表示禮貌的請求**。

I **wish** you **would** be quiet. (希望你能安靜。)

= *Please be quiet.*

I **wish** you **would** come and help us. (但願你能來幫助我們。)

= *Would you come and help us?*

【註4】 **wish** 之後還可以接兩個受詞以表示祝福。如：

I wish <u>you</u> <u>a safe journey</u>. (祝你一路平安。)
　　　　　間受　　　直　受

I wish <u>you all</u> <u>a happy New Year</u>. (祝大家新年快樂。)
　　　　　間受　　　　直　受

【註5】 <u>How I wish for</u> + 受詞，也可表示願望。

How I wish for a pair of wings! (我多麼希望我有一對翅膀啊！)

= *How I wish I had a pair of wings!*

【註6】 <u>wish</u> + （受詞） + 不定詞以及 <u>wish for</u> + 受詞，當 **want**「想要」解。

I **wish** to see Mary at once. (我想立刻看見瑪麗。)

= *I **want** to see Mary at once.*

She **wishes for** what she can't have. (她想要她得不到的東西。)

= *She **wants** what she can't have.*

【註7】 hope 和 wish 雖都表示願望，但是 **hope** 表示「**能實現的願望**」，所以 **that** 子句用直
說法；**wish** 表「**不可能實現的願望**」，**that** 子句用假設法。

I hope I don't interrupt you. (我希望我沒有打擾你。)

I sincerely hope you will soon recover. (我誠懇地希望你早日康復。)

We hope we shall see you in May. (我們希望五月能見到你。)

【註8】 如因句意的需要，可在 that 子句中，加上過去式助動詞 could, would, might 等。

【比較1】 ⎰ I wish I **were** there now. (但願我現在在那裡。)
　　　　　⎱ I wish I **could be** there now. (但願我現在能夠在那裡。)

所以，I wish I **could be** there. 可表現在或未來。

【比較2】 ⎰ I wish I had been there yesterday. (但願我昨天在那裡。)
　　　　　⎱ I wish I could have been there yesterday. (但願我昨天能夠在那裡。)

7. 以 if, if only 及感嘆詞引導子句，表示「願望」的假設法（if only 也可用於直說法，詳見 p.521）

If
If only
O that
Oh, that
Would (that)
Would to God (that)
Wish to God (that)
Wish to Heaven (that)

+ S +

過去式或 were —— 指現在（與現在事實相反）
過去完成式 —— 指過去（與過去事實相反）
過去式助動詞 + 原形動詞 —— 指未來（與未來事實相反）

Would that I were young again!（我要是能返老還童就好了！—— 與現在事實相反）
（= I wish I were young again.）

Would that I had seen her last night!（我昨晚要是能看到她就好了！—— 與過去事實相反）
（= I wish I had seen her last night.）

Would that I could go shopping with you tomorrow!
（= I wish I could go shopping with you tomorrow.）
（我明天要是能和你去逛街就好了！—— 與未來事實相反）

再看下面例句：

If only I knew the answer!（我要是知道答案就好了！）
（= I wish I knew the answer.）

If only I hadn't lost it!〔我（過去）沒有把它弄丟就好了！〕
（= I wish I hadn't lost it.）

If only the rain would stop!（雨要是能停就好了！）
（= I wish the rain would stop.）

O that（= **Would that**）money grew on trees!（要是錢長在樹上就好了！）
（= I wish money grew on trees.）

O that Dr. Sun were yet alive!（要是國父還活著就好了！）
（= I wish Dr. Sun were yet alive.）

Oh, that I could be as wise as King Solomon!（要是我能像所羅門王一樣的睿智就好了！）
（= I wish I could be as wise as King Solomon.）

Would to God he would return safely!（但願他平安歸來！）
（= I wish he would return safely.）

【註】 Would (that) 及 Oh, that 也可用來表示「驚訝」或「憤怒」。
　　　Oh, that he should have failed!（他竟然會失敗！）【should 表驚訝，參照 p.312】

8. 以 would (had) rather (that) 引導子句，表示「願望」的假設法

—— 主 詞 不 同 ——
S_1 + would (had) rather (*that*) + S_2 +

過去式 —— 指現在或未來（與現在或未來事實相反）
過去完成式 —— 指過去（與過去事實相反）

—— 主詞不同 ——
I **would rather** you stayed at home now.【不可用 would stay】
= *I wish you would stay at home now.*（我希望你現在留在家裡。—— 與現在事實相反）
【wish 之後也可用 should, would, could, might（參照 p.369，註 8），但 would rather 之後不可】

┌─── 主詞不同 ───┐

I **would rather** you came tomorrow.【不可用 would come】

= *I wish you would come tomorrow.*（我希望你明天能來。── 與未來事實相反）

┌─── 主詞不同 ───┐

I **would rather** you had not gone there.

（你要是沒去那裡就好了。── 與過去事實相反）

【註】 上述公式限於主要子句與 that 子句之主詞不同時，若是前後主詞相同，則不用 that 子
句而直接接原形動詞。

　　　I would rather come later.（我寧願晚一點來。）

9. 以 **as if, as though** 引導子句，表示「好像」的假設法

$$
S + V + \left\{ \begin{array}{l} \text{as if} \\ \text{as though} \end{array} \right\} + S + \left\{ \begin{array}{l} \text{過去式或 were —— 指現在（與現在事實相反）} \\ \text{過去完成式 —— 指過去（與過去事實相反）} \\ \text{過去式助動詞 + 原形動詞 —— 指未來（與未來事實相反）} \end{array} \right.
$$

He talks **as if** he knew everything.

（他談話的樣子就好像樣樣都懂。── 與現在事實相反）

He talks **as if** he had known John since boyhood.

（他說起來就好像從小就認識約翰。── 與過去事實相反）

He talks and acts **as if** he might not live long.

（他的一言一行就好像會活不久似的。── 與未來事實相反）

【註1】 **as if** 是省略而來，as though 較 as if 少用，因 though 在古式英語中等於 if。

　　　The child talks **as if** he were a grown-up.

　　　= The child talks **as** *he would talk* **if** he were a grown-up.

　　　（這個孩子說起話來好像是個成年人。）

【註2】 **seem, appear** 也表示「好像」，但是要用直說法。

　　　┌ He seems (*to be*) honest.（他好像很誠實。）
　　　└ It seems that he is honest.

　　　┌ He appears (*to be*) drunk.（他好像喝醉了。）
　　　└ It appears that he is drunk.

【註3】 **as if (though)**，尤其在 **It seems (appears, looks) as if (though)** 之後，有時依句
意需要，也可**接直說法**，這是表示說話者認為有可能是事實的事。

　　　She came to see me **as though** she **was** having trouble.

　　　（她來看我就像是她有了麻煩。── 說話者認為她可能有麻煩）

　　　It looks **as if** he **is** going to die.

　　　（看樣子他快要死了。── 說話者認為他可能會死）

　　　比較下面兩句：

　　　　It seems **as if** it *were* raining.（看來好像在下雨。── 其實並沒有下雨）
　　　　　　　　假設法現在式

　　　　It seems **as if** it *is* raining.（看來好像在下雨。── 說話者認為可能在下雨）
　　　　　　　　直說法現在式

【註4】 **as if**, **as though** 所引導之子句的時態不受主要子句影響。

He $\begin{cases} \textbf{talks} \\ \textbf{has talked} \\ \textbf{talked} \\ \textbf{will talk} \end{cases}$ as if he had been abroad. （他說起話來好像他曾去過國外。）

【註5】 **as if** (**though**) 之後可接不定詞、分詞、介詞，這是把 **as if** (**though**) 所引導之子句的主詞、動詞省略。

He opened his lips **as if** (*he were going*) **to speak**.

（他開口好像要說什麼似的。）

Her eyes were restless **as though** (*it were*) **from fear**.

（她雙眼不安，好像由於害怕。）【*it* 代替 Her eyes were restless，參照 p.112】

She said it in a low voice **as if** (*she were*) **speaking to herself**.

（她低聲講話好像自言自語似的。）

10. **suggest**, **order** 等動詞之後 **that** 子句的假設法

此種假設法之意義是表示一種未來的慾望（**desire**）。下列動詞均是表慾望的動詞。

advise（勸告）	direct（命令）	propose（提議）	
advocate（提倡）	dictate（命令）	prefer（寧願）	
agree（同意）	expect（希望）	pray（懇求）	
appoint（下令）	insist（堅持）	provide（規定）	
arrange（安排）	intend（打算）	request（要求）	
argue（主張）	legislate（立法）	recommend（建議）	
ask（要求）	maintain（主張）	require（要求）	that…(should) + 原形動詞
command（命令）	move（提議）	resolve（決心）	※ ①that 不省略較常用。
decide（決定）	order（命令）	sentence（判決）	②should 省略和不省略
decree（命令）	object（反對）	specify（指定）	均可。（英式用法常保留
demand（要求）	permit（允許）	suggest（建議）	should，但美語中常省略）
desire（請求）	persist（堅持）	stipulate（規定）	
determine（決定）	petition（請願）	urge（主張）	

I **ordered** that it (*should*) **be** sent home. （我命令把它送到家裡去。）

My father **intended** that I (*should*) **be** a lawyer. （我父親要我當律師。）

I **demand** that I (*should*) **be** allowed to call my lawyer.

（我要求准許我打電話給我的律師。）

He **demanded** that he (*should*) **be** given the right to express his opinion.

（他要求給他表示意見的權利。）

I **ask** that I (*should*) **be** given time to consider the matter further.

（我要求給我時間更進一步考慮那件事。）

They **require** that I (*should*) **appear**. (他們要求我出面。)

The emergency **requires** that it (*should*) **be** done. (這件緊急的事必須要做。)

He **insisted** that I (*should*) **pay** the money at once. (他堅持要我馬上付錢。)

It **was decided** (*or* **agreed**, **arranged**) that the boy (*should*) **be** sent to France.
(已決定將這個孩子送到法國去。)

The doctor **suggested** that the patient (*should*) **stop** smoking.
(醫生建議這病人要戒煙。)

I **move** that the meeting (*should*) **be** adjourned.
(我提議會議延期。)

The committee **recommends** that the budget (*should*) **be** discussed at the next meeting.
(委員會建議下次會議再討論該預算。)

【註 1】 以上這些動詞通常指應該採取某種行動，或應該完成某種要求，通常表示「應該做而
還沒有做的事」，所以是假設法。**如果這些動詞作其他的意思解釋，或者說話者認為
that 子句所敘述的事是事實，就用直說法。**

He insists that he $\left\{ \begin{array}{l} \textbf{is}\,【正】 \\ \textit{be}\,【誤】 \end{array} \right\}$ innocent. (他堅稱他是無辜的。)

【「他是無辜的」是說話者確認的事實，並非假設】

The white look on his face suggested that he $\left\{ \begin{array}{l} \textbf{was}\,【正】 \\ \textit{should be}\,【誤】 \end{array} \right\}$ afraid.

(他蒼白的面容顯示出他的害怕。)
【suggested 不作「建議」解，而作「顯示出」解】

【註 2】 上述動詞可能以**名詞**或**動名詞**形式出現。

It is my **insistence** that the criminal (*should*) **be** sentenced to death.
(我堅持這名罪犯應處死刑。)
He came **ordering** that Mary (*should*) **go** with him.
(他來命令瑪麗和他一起走。)

【註 3】 在日常會話中，上述結構很少使用，通常用其他方式表達。

I **ask** that I **be** given time to consider the matter further.
→ Please give me time to consider the matter further.
→ I want you to give me time to consider the matter further.

【註 4】 that 子句是否定時，一樣可以省略 should。

I **propose** that he $\left\{ \begin{array}{l} \textbf{should not be} \\ \textbf{not be} \end{array} \right\}$ punished. (我建議他不應該受罰。)

I **recommend** that he $\left\{ \begin{array}{l} \textbf{should not wait} \\ \textbf{not wait} \end{array} \right\}$ any longer. (我勸他不要再等了。)

11. **It is + necessary, a pity** 等詞語 + **that** 子句的假設法

這些表示感情的詞語，是說話者主觀的意見，認為「該如此」或「不該如此」，而不是敘述事實本身。

⑴ 說話者表示「應該如此」的詞語：如「當然」、「必要」、「適當」等。

It is (was)
- advisable (適當的)
- appropriate (適當的)
- better (比較好)
- desirable (合意的)
- essential (必要的)
- good (好的)
- imperative (急需的)
- important (重要的)
- natural (自然的)
- necessary (需要的)
- no wonder (難怪)
- proper (適當的)
- resolved (有決心的)
- right (對的)
- urgent (迫切的)
- vital (必需的)
- well (好的)
- wrong (不對的)

+ that + S +
- should + 原形 (表現在或未來)
- should + 完成式 (表過去)

It is important that you (*should*) **follow** directions. (遵循指示是重要的。)

Is it necessary that he (*should*) **take** an examination? (他需要參加考試嗎？)

It is essential that you (*should*) **give** me all the information at your disposal.
(你把你手邊的所有資料給我是必要的。)

It is proper that you (*should*) **scold** him for his idleness.
(你罵他懶惰是應當的。)

It is no wonder that she (*should*) **be** angry with you. (難怪她生你的氣。)

It is good (*or* well, right, proper, important) that he (*should*) **do** so.
(他這樣做是應該的。)

It is right that you **should have done** so. 【that 子句是指過去】
(你這樣做是對的。)

It is quite natural that she **should have got** angry. 【that 子句是指過去】
(她當然會生氣。)

【註】 It is (**high, about**) **time** +
- that +
  - 過去式動詞或 were
  - (*should*) + 原形動詞
- (for…) to + 原形動詞

It is (*high*) time (*that*)
- I **went** now.
- I **should go** now.
- I **go** now. 【should 省略是非正式的美國口語】

= It is (*high*) time for me to go.

= I ought to go now. (我現在該走了。)

⑵ 説話者表示「不該如此」的詞語：如表示「遺憾」、「惋惜」、「驚奇」等情緒。句中的 should 作「竟然；居然」解。

It is (was) {
awkward（麻煩的；傷腦筋的）
deplorable（可悲的）
funny（可笑的）
odd（奇怪的）
pitiful（可惜的）
a pity（可惜）
a thousand pities（可惜）
regrettable（令人惋惜的）
to be regretted（令人惋惜的）
a matter of regret（令人惋惜的）
strange（奇怪的）
surprising（令人驚訝的）
} + that + S + { should + 原形（表現在或未來） should + 完成式（表過去） }

It is awkward that he <u>should</u> be late.（他竟然遲到，真是糟糕。）

It is strange that you <u>should</u> think so.（你竟然這麼想，真是奇怪。）

It is a pity that he <u>should</u> miss such a golden opportunity.
（他竟失去這樣的一個好機會，真可惜。）

It is funny that a beautiful girl like her <u>should fall</u> in love with such an ugly man.
（像她那樣漂亮的小姐，竟愛上了這麼醜的男人，真有趣。）

【註1】在 ⑴⑵ 兩種句型中，若說話者認為 that 子句所敘述的事為事實，就用直說法，常用於口語中。

It is a pity that the accuracy insisted on **is** not greater.
（很可惜，所強調的精確性並沒有比較大。）

It is strange that he **says** so.（他這樣說很奇怪。）

【註2】有時將表示感情的主要子句省略而只保留 that 子句，形成感嘆句的形式。

That it should have come to this!（事情竟落到如此的地步！）
（= *It is a pity that*… ）

That you should leave here so soon!（你就這麼快地離開這裡！）
（= *I am sorry that*… ）

【註3】除了上述句型以外，should 也可用在其他句子裡表示「驚愕；惋惜」之意，通常用於疑問句及 I am surprised that 等句子中。（參照 p.312）

What has he done that you <u>should</u> resort to violence?
（= *I am astonished* that you should resort to violence. ）
（他到底做了什麼事情，使你使用暴力呢？）

Who <u>should</u> come in but the very man we were talking of?
（進來的人不是我們正在談論的人還會是誰呢？）
意即：進來的人就是我們所談論的人。

I am surprised that you <u>should</u> say such things.（你說這些事使我很驚訝。）

I am sorry that things **should have come** to this.【that 子句指過去】
（我很抱歉事情竟演變成這樣。）

第七章 語 態（Voice）

語態分為**主動語態**（Active Voice）及**被動語態**（Passive Voice）兩種。

主動：The mayor <u>welcomed</u> the diplomat.（市長歡迎外交官。）

被動：The diplomat <u>was welcomed by</u> the mayor.（外交官被市長所歡迎。）

I. 語態的形式：

主動語態與被動語態的時態比較：

時式 ＼ 語態	主 動 語 態	被 動 語 態
現　　在	現在式動詞	am / are / is ⎫ + 過去分詞
過　　去	過去式動詞	was / were ⎫ + 過去分詞
未　　來	shall / will ⎫ + 原形動詞	shall / will ⎫ be + 過去分詞
現在完成	have / has ⎫ + 過去分詞	have / has ⎫ been + 過去分詞
過去完成	had + 過去分詞	had been + 過去分詞
未來完成	shall / will ⎫ have + 過去分詞	shall / will ⎫ have been + 過去分詞
現在進行	am / are / is ⎫ + 現在分詞	am / are / is ⎫ being + 過去分詞
過去進行	was / were ⎫ + 現在分詞	was / were ⎫ being + 過去分詞

【註】 被動語態裡沒有未來進行式，和三種完成進行式，因為 **be, being, been** 這三個字中，任何兩個字都不可以用在一起。

II. 使用被動語態的時機：在下列四種情況用被動語態比較合適。

1. 強調承受者為中心時。

The man was hit by a speeding car.（這人被一輛超速的車子撞到。）

The book was given to me by my instructor.（這本書是我的老師給我的。）

2. 動作者不重要、不明顯或不願說出時。

My watch was stolen (*by someone*) yesterday.（我的手錶昨天被偷了。）

Harvard was founded in 1636.（哈佛大學是在 1636 年創立的。）

The United Nations Charter was signed in 1945.（聯合國憲章是在 1945 年簽署的。）

George was wounded in the war.（喬治是在戰爭中受傷的。）

3. 爲避免改變合句裡第二個子句的主詞時。

The teacher loves his students and is loved by them.（老師愛護學生，也爲學生所愛戴。）

He told a lie yesterday and was scolded by his father.（他昨天說謊，被他父親罵了一頓。）

4. 做客觀的説明時。

It is said that he was killed in the accident.（據說他死於那場車禍。）

It is thought by experts that the project will fail.（專家們認爲那個計劃將會失敗。）

It is believed that the political situation is critical.（一般認爲政治情況很危急。）

其他常用的有：

it is agreed that…（大家都同意…）	it is reported…（據報導…）
it is argued that…（一般認爲…）	it is recommended that…（據推薦…）
it is assumed that…（假定…）	it is rumored that…（謠傳…）
it is believed that…（一般認爲…）	it is said that…（據說…）
it has been decided that…（大家決定…）	it is suggested that…（據建議…）
it is hoped that…（大家希望…）	it is supposed that…（大家推測…）
it is (well) known that…（家喻戶曉…）	it is thought that…（大家認爲…）
it must be remembered that…（務必記住…）	
it must be borne in mind that…（切記…）	
it is taken for granted that…（…被視爲當然）	

Ⅲ.語態的變換公式：使用之代號：S：主詞；V：動詞；O：受詞；M：修飾語

1. 簡單式：

⑴ 主動態的受詞做被動態的主詞。

⑵ be 動詞按新主詞的人稱、數而變化。

⑶ be 動詞時式依照主動態動詞的時式。

⑷ be 動詞後面接原來動詞的過去分詞的形式。

⑸ 利用介詞 by。

⑹ by 之後用原來主詞的受格形式。

⑺ 修飾語不變。

① **現在式：**

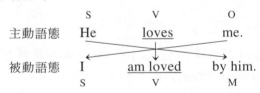

```
               S        V        O
主動語態   He      loves      me.

被動語態   I      am loved    by him.
               S        V        M
```

② **過去式：**

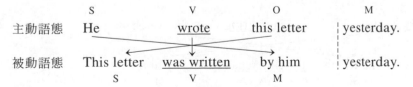

```
               S          V           O          M
主動語態   He        wrote      this letter  │ yesterday.

被動語態   This letter  was written   by him    │ yesterday.
               S          V           M
```

③ 未來式：

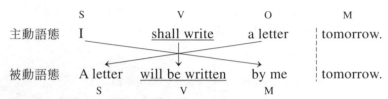

	S	V	O	M
主動語態	I	shall write	a letter	tomorrow.
被動語態	A letter	will be written	by me	tomorrow.
	S	V	M	

2. **完成式：**

(1) 與簡單式之一般原則大致相同，只有動詞部分不同。

(2) 被動語態之動詞片語是由 have (has, had) 加上 been 再加上過去分詞（也就是原來主動語態中的過去分詞）所組成。

(3) have, has, had 之採用必須視新主詞的人稱、數及時式而定。

① **現在完成：**

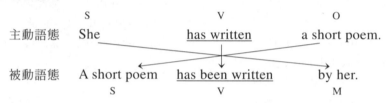

	S	V	O
主動語態	She	has written	a short poem.
被動語態	A short poem	has been written	by her.
	S	V	M

② **過去完成：**

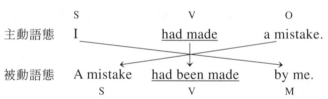

	S	V	O
主動語態	I	had made	a mistake.
被動語態	A mistake	had been made	by me.
	S	V	M

③ **未來完成：**

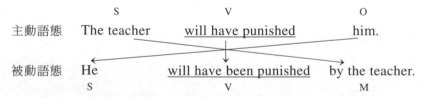

	S	V	O
主動語態	The teacher	will have punished	him.
被動語態	He	will have been punished	by the teacher.
	S	V	M

3. **進行式：** 除動詞部分外，與一般原則相同。

(1) 在 be 動詞之後加 being 再加過去分詞（就是將主動語態中的現在分詞改為過去分詞）。

(2) be (am, are, is, was, were) 的變化要配合新主詞的人稱、數及時態。

① **現在進行：**

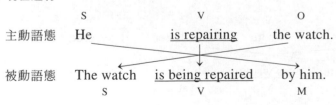

	S	V	O
主動語態	He	is repairing	the watch.
被動語態	The watch	is being repaired	by him.
	S	V	M

② **過去進行：**

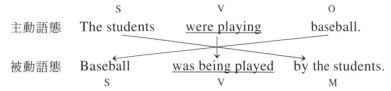

主動語態　The students　were playing　baseball.

被動語態　Baseball　was being played　by the students.

IV. 敘述句被動語態的作法：

1. 完全及物動詞

(1)

> 主動語態：S + V + O
>
> 被動語態：S + be + 過去分詞 + by + O（原主詞之受格形）

The bees gather honey from the flowers. （蜜蜂從花中探蜜。）

→ Honey is gathered from the flowers by the bees.

【注意】 will 用於第一人稱表說話者的意志，因此改為被動語態時，其主詞 you 及 he 等
第二、三人稱，須用 shall，以表說話者「我」的意志。

> 　　主動：I will punish him. （我要處罰他。）
> 　　被動：He shall be punished by me.

> 　　主動：I will reward you. （我要報答你。）
> 　　被動：You shall be rewarded by me.

(2)

> 主動語態：S + V + IO（間接受詞）+ DO（直接受詞）
>
> 被動語態：
> { S（原 IO）+ be + 過去分詞 + 原 DO + by + 原主詞之受格
> { S（原 DO）+ be + 過去分詞 + 原 IO + by + 原主詞之受格

> 　主動：Mr. Smith taught us English. （史密斯先生教我們英文。）
> 　被動：{ We were taught English by Mr. Smith.
> 　　　　{ English was taught us by Mr. Smith.

若以 DO 為主詞時，原 IO 前面可加上一個適當的介詞（如 to, for, of 等），以加強 IO 的
語氣。因此上述被動的第二句可以寫成：

English was taught to us by Mr. Smith. 【此種被動的形式較常用】

本句強調不是教別人英文而是教我們。

【註 1】 將授與動詞（Dative Verb）改作被動語態時，剩下來的那個受詞稱作**保留受詞**
（**Retained Object**）。

> 　主動：The teacher has told them a story. （老師給他們講了個故事。）
> 　　　　　　　　　　　　　間受　　直受
> 　被動：{ A story has been told them by the teacher. 【保留的間接受詞】
> 　　　　{ 　　　　　　　　　保留受詞
> 　　　　{ They have been told a story by the teacher. 【保留的直接受詞】
> 　　　　　　　　　　　　　　　保留受詞

【註 2】 在此句型（**S + V + IO + DO**）中，其被動語態，在習慣上**區分為下列三種：**

① **可有兩種被動語態的動詞**，如：award, buy, give, leave, lend, offer, pay,
show, teach, tell, etc.

主動：He gave me a watch. (他給我一只錶。)

被動：
A watch was given me (*by him*).
I was given a watch (*by him*).

主動：They offered him a position. (他們給他一個職位。)

被動：
A position was offered him.
He was offered a position.

主動：The government granted him a pension for life. (政府給他終身俸。)

被動：
A pension for life was granted him.
He was granted a pension for life.

② **通常用直接受詞作爲被動語態的主詞的一些動詞**：bring, do, make, pass, sell, send, sing, telegraph, write, etc.

主動：He wrote her a letter. (他寫給她一封信。)

被動：
A letter was written (*to*) her by him.【合習慣】
She was written a letter.【不合習慣】

主動：His wife brought him a rich dowry. (他太太帶給他豐富的嫁粧。)

被動：
A rich dowry was brought (*to*) him by his wife.【合習慣】
He was brought a rich dowry.【不合習慣】

主動：Sister made me a doll. (姊姊給我做個洋娃娃。)

被動：
A doll was made (*for*) me by *Sister*.【合習慣】
I was made a doll by Sister.【不合習慣】

③ **通常用間接受詞作爲被動語態的主詞的一些動詞**：answer, deny, envy, refuse, save, spare, etc.

主動：He answered me the question. (他回答我問題。)

被動：
I was answered the question by him.【合習慣】
The question was answered me by him.【不合習慣】

主動：The authorities refused my boyfriend James a passport.
(當局拒發護照給我男友詹姆士。)

被動：
My boyfriend James was refused a passport by the authorities.【合習慣】
A passport was refused my boyfriend James by the authorities.【不合習慣】

主動：They still deny women the right to vote in some countries.
(有些國家仍然不給婦女投票權。)

被動：
Women are still denied the right to vote in some countries.【合習慣】
The right to vote is still denied to women in some countries.【不合習慣】

2. 不完全及物動詞

(1)
主動語態：S + V + O + C (受詞補語)
被動語態：S + be + 過去分詞 + C + by + O (原主詞之受格形)

主動：They elected John <u>secretary of the club</u>. (他們選舉約翰做俱樂部的秘書。)

　　　　　　　　　　　　　受　詞　補　語

被動：John was elected <u>secretary of the club</u> by them. (約翰被他們選爲俱樂部的秘書。)

　　　　　　　　　主　詞　補　語

【主動改爲被動後，受詞變爲主詞，受詞補語變爲主詞補語，因此 be elected, be called, be made 後常需主詞補語，參照 p.14】

【註 1】常見用於此種句型的不完全及物動詞，有 call, make, elect, choose, consider, regard, name, believe, appoint, think 等。(參照 p.14)

【註 2】by + 代名詞受格形，並非必要條件，此句型的重點在前面，在後面的「被誰…」則往往可省略。尤其是主動語態做主詞的 they, we, you, people, anyone, someone, somebody 等，若指「**一般人**」時，則於被動語態時省略之。

主動：They speak English in America. (人們在美國說英語。)

被動：English is spoken in America.

主動：We find tigers in India. (我們在印度能發現老虎。)

被動：Tigers are found in India.

(2)
> 主動語態：S + V + O + C (受詞補語)
> 被動語態：S + be + 過去分詞 + to + C (原受詞補語)

此種句型變換多半出現於**感官動詞及使役動詞**(如 **see**, **feel**, **hear**, **watch**, **make**, **bid**)，在主動語態時做受詞補語之不定詞 to 被省略，**改爲被動時**，**要用 to 來形成不定詞片語**，**做主詞補語**。

主動：I saw her enter the room. (我看到她進入房間。)

被動：She was seen <u>to enter</u> the room (*by me*).

主動：The policeman saw a man run away. (警察看到一個人逃走。)

被動：A man was seen <u>to run</u> away (*by the policeman*).

主動：I heard her sing. (我聽到她唱歌。)

被動：She was heard <u>to sing</u> (*by me*).

主動：Our teacher made us study harder. (我們老師要我們更用功。)

被動：We were made <u>to study</u> harder.

主動：He made me copy ten pages of the book. (他要我影印十頁書。)

被動：I was made <u>to copy</u> ten pages of the book.

主動：She bade us go home at once. (她命令我們立刻回家。)

被動：We were bidden <u>to go</u> home at once.

【**註 1**】主動語態感官動詞之後的受詞補語若是現在分詞，則改換被動語態時，**將分詞置於過去分詞之後，做主詞補語，即受詞補語變成主詞補語。**

主動：I saw a stranger <u>entering</u> the room. (我看到一個陌生人進入房間。)
被動：A stranger was seen <u>entering</u> the room (*by me*).

主動：I heard them <u>singing</u>. (我聽到他們在唱歌。)
被動：They were heard <u>singing</u> (*by me*).

【**註 2**】在使役動詞的句型中，做受詞補語的原形不定詞，若其本身既為及物動詞時，如再按照一般原則改為被動語態，則容易造成混淆。

He made the others <u>understand</u> him.

若按一般原則，改為：

The others were made to understand him by him. 【兩個 him 使得句意混淆不清】

所以應該<u>依照下列公式改被動式</u>：

S + **make** (**get**, **have**) + **O** + 過去分詞
S + **let** (**bid**) + **O** + **be** + 過去分詞

主動：He made the others <u>understand</u> him. (他使別人了解他。)
被動：He made himself <u>understood</u>.

主動：He had the tailor <u>make</u> a new coat. (他要裁縫師做一件新的外套。)
被動：He had a new coat <u>made</u> (*by the tailor*).

主動：He would not let anyone <u>dress</u> his own wound.
　　　(他不讓任何人替他包紮傷口。)
被動：He would not let his own wound <u>be dressed</u> (*by anyone*).

3. 不及物動詞 + 介詞

不及物動詞原無被動語態，但和介詞結合則成及物動詞片語，所以有被動語態。

主動語態：S + VI (不及物動詞) + 介詞 + O
被動語態：S + be + 不及物動詞之過去分詞 + 介詞 + by + O (原主詞之受格形)

主動：You cannot <u>rely upon</u> him. (你不能依賴他。)
被動：He cannot <u>be relied upon</u>.

主動：The bus <u>ran over</u> a girl. (公車輾過一個女孩。)
被動：A girl <u>was run over</u> by the bus.

主動：You must <u>look after</u> the child. (你必須照顧這個小孩。)
被動：The child must <u>be looked after</u>.

4. 不及物動詞 + 副詞 + 介詞 (結合成及物動詞片語)

主動語態：S + VI + 副詞 + 介詞 + O
被動語態：S + be + 過去分詞 + 副詞 + 介詞 + O (原主詞之受格形)

主動：The villagers <u>look down upon</u> them. (村民看不起他們。)
被動：They <u>are looked down upon</u> by the villagers.

主動：She <u>speaks well of</u> him. (她稱讚他。)
被動：He <u>is spoken well of</u> by her.

主動：Everybody <u>looks up to</u> him.（每個人都尊敬他。）
被動：He <u>is looked up to</u> by everybody.

5. 不及物動詞後接同系受詞（**Cognate Object**）作及物動詞用時，也可用被動語態。
（參照 p.280）

主動：They ran a race.（他們賽跑。）
被動：A <u>race</u> <u>was run</u> by them.

主動：We fought a good fight.（我們打了一場漂亮的仗。）
被動：A good <u>fight</u> <u>was fought</u> by us.

6. 及物動詞 + 名詞 + 介詞

主動語態：S + V + O₁ + 介詞 + O₂
被動語態：
S（O₁）+ be + 過去分詞 + 介詞 + O₂ + by + O（原主詞之受格形）
S（O₂）+ be + 過去分詞 + O₁ + 介詞 + by + O（原主詞之受格形）

主動：People paid no attention to me.（人們不注意我。）
被動：
No attention <u>was paid</u> to me.
I <u>was paid</u> no attention to.

主動：You must take care of the child.（你必須照顧那個小孩。）
被動：
Care <u>must be taken</u> of the child.
The child <u>must be taken</u> care of.

主動：We will put an end to our quarrel.（我們會結束爭吵。）
被動：
An end <u>shall be put</u> to our quarrel.
Our quarrel <u>shall be put</u> an end to.

7. 動詞 + 反身代名詞

此種句型在**主動**語態是表示「**動作**」；在**被動**語態是表示「**狀態**」。

主動語態：S + V + O（反身代名詞）
被動語態：S（原主詞）+ be + 過去分詞

主動：He seated himself on the bench.（他坐在長椅上。）
被動：He <u>was seated</u> on the bench.

主動：She dressed herself in white.（她穿白色的衣服。）
被動：She <u>was dressed</u> in white.

V. 疑問句被動語態的作法：

1. 一般疑問句之轉換：

(1)
主動語態：Do (Did, Does, Don't, Didn't) + S + V（原形動詞）+ O？
被動語態：Be (Am, Are, Is, Was, Aren't,…) + S + 過去分詞 + by + O（原主詞之受格形）？

主動：Did you grow these vegetables in your own garden?
（你在你的園子裡種這些菜嗎？）
被動：<u>Were</u> these vegetables <u>grown</u> in your own garden?

主動：Do they speak French?（他們說法文嗎？）
被動：<u>Is</u> French <u>spoken</u> by them?

主動：Didn't they tell you to be here by six o'clock?
　　　（他們沒告訴你在六點以前到這裡嗎？）
被動：<u>Weren't</u> you <u>told</u> to be here by six o'clock?

(2)
> 主動語態：Do 以外的助動詞（Can, Can't, Must, Mustn't, Will,…）
> 　　　　+ S + V（原形）+ O？
> 被動語態：原助動詞 + S + be + 過去分詞 + by + O（原主詞之受格形）？

主動：Must she do it?（她必須要做它嗎？）
被動：<u>Must</u> it <u>be done</u> by her?

主動：Can't you finish the work in time?（你不能及時做完那工作嗎？）
被動：<u>Can't</u> the work <u>be finished</u> in time?

主動：Will they give you the answer next week?（他們下週會給你答案嗎？）
被動：
> <u>Will</u> the answer <u>be given</u> (*to*) you next week?
> <u>Will</u> you <u>be given</u> the answer next week?

2. 完成式疑問句之轉換：

> 主動語態：Have (Has, Had, Haven't, Hasn't, Hadn't) + S + 過去分詞 + O？
> 被動語態：Have (Has, Had,…) + S + been + 過去分詞 + by + O（原主詞之受格形）？

主動：Has anybody answered your question?（是不是有人已經回答了你的問題？）
被動：<u>Has</u> your question <u>been answered</u> (*by anybody*)?

主動：Has anyone ever asked you to tell of your experiences in Malaya?
　　　（是不是有人曾經要求你談論在馬來亞的經歷？）
被動：<u>Have</u> you ever <u>been asked</u> to tell of your experiences in Malaya?

3. 特殊疑問句之轉換：

(1) 以疑問代名詞為主詞者，改為被動時，以 **By + 疑問代名詞受格**為句首。

> 主動語態：S（疑問代名詞）+ V + O？
> 被動語態：By + O（疑問代名詞之受格）+ be + S（原 O）+ 過去分詞？

主動：<u>Who</u> broke the cup?（誰打破了杯子？）
被動：<u>By whom</u> was the cup broken?

主動：<u>Which boy</u> won the prize?（哪個男孩得獎了？）
被動：<u>By which boy</u> was the prize won?

主動：<u>Who</u> discovered America?（誰發現美洲？）
被動：<u>By whom</u> was America discovered?

主動：<u>Who</u> will win the beauty contest?（誰將贏得這場選美比賽？）
被動：<u>By whom</u> will the beauty contest be won?

(2) **以疑問代名詞為受詞**，改為被動語態時，以它為主詞，後接被動式動詞。

> 主動語態：O（疑問代名詞）＋助動詞＋S＋V（原形動詞）
> 被動語態：S（疑問代名詞之主格）＋be＋過去分詞＋by＋O（原主詞之受格形）

　　主動：<u>What</u> did you do last night?（昨晚你做了什麼？）
　　被動：<u>What</u> was done by you last night?

　　主動：<u>Whom</u> did you meet yesterday?（昨天你遇到了誰？）
　　被動：<u>Who</u> was met by you yesterday?

　　主動：<u>What</u> will he do next?（他下一步將做什麼？）
　　被動：<u>What</u> will be done by him next?

(3) **附加問句的被動語態：**

附加問句，通常只將前面的敘述句部分改為被動語態，然後依被動語態另作新的附加問句於句尾即可。

　　主動：John didn't pay you, did he?（約翰沒付你錢，是嗎？）
　　被動：You <u>were not paid</u> by John, <u>were</u> you?

　　主動：You can help him, can't you?（你能幫助他，不是嗎？）
　　被動：He <u>can be helped</u> by you, <u>can't</u> he?

　　主動：You broke the window, didn't you?（你打破了窗子，不是嗎？）
　　被動：The window <u>was broken</u> by you, <u>wasn't</u> it?

　　主動：She is reading a novel, isn't she?（她正在看小說，不是嗎？）
　　被動：A novel <u>is being read</u> by her, <u>isn't</u> it?

VI. 祈使句被動語態的作法：

1. 肯定祈使句：

> 主動語態：V（原形）＋O
> 被動語態：Let＋O（原受詞）＋be（原形）＋過去分詞

　　主動：<u>Give up</u> smoking.（要戒煙。）
　　被動：<u>Let</u> smoking <u>be given up</u>.

　　主動：<u>Do</u> one thing at a time.（一次做一件事情。）
　　被動：<u>Let</u> one thing <u>be done</u> at a time.

　　主動：<u>Open</u> the window.（打開窗子。）
　　被動：<u>Let</u> the window <u>be opened</u>.

2. 否定祈使句：

> 主動語態：Don't＋V（原形）＋O
> 被動語態：Don't let＋O（原受詞）＋be＋過去分詞

　　主動：Don't read such a novel.（不要看這樣的小說。）
　　被動：<u>Don't let</u> such a novel <u>be read</u>.（= *Let such a novel not be read.*）

> 主動：Don't trust him. (不要信任他。)
> 被動：<u>Don't let</u> him <u>be trusted</u>.

3. 對第一、三人稱的祈使句：

> 主動語態：Let (Don't let) + me (us, him, her,…) + V (原形) + O
>
> 被動語態：Let (Don't let) + O (原 O) + be (原形) + 過去分詞 + by + me (us, him, her,…)

> 主動：Let them clean the room. (叫他們清潔房間。)
> 被動：<u>Let</u> the room <u>be cleaned</u>.

> 主動：Let us do it at once. (讓我們立刻做。)
> 被動：<u>Let</u> it <u>be done</u> at once.

> 主動：Don't let her do such a thing. (不要讓她做這種事。)
> 被動：<u>Don't let</u> such a thing <u>be done</u> by her.

VII. 特殊形式的被動語態：

1. 受詞爲名詞子句的被動語態：

> 主動語態：They / People } say (think, believe,…) + that + S + V 【名詞子句】
>
> 被動語態：
> - It be (時態與 say 相同) + said + that + S + V 【名詞子句】
> - S (名詞子句之主詞) + be (時態與 say 相同) + said + to + V (名詞子句的動詞原形)

> 主動：They say that he has lots of money. (人們說他很有錢。)
> 被動：
> - <u>It is said</u> that he has lots of money.【以主動語態的 that 子句爲主詞再用 It 代替】
> - <u>He is said to have</u> lots of money.【以主動語態 that 子句中的主詞爲主詞】

> 主動：People say that tortoises live longer than elephants.
>   (人們說陸龜比大象活得久。)
> 被動：
> - <u>It is said</u> that tortoises live longer than elephants.
> - <u>Tortoises are said to live</u> longer than elephants.

> 主動：People say that figs are better for us than bananas.
>   (人們說無花果對我們比香蕉還要好。)
> 被動：
> - <u>It is said</u> that figs are better for us than bananas.
> - <u>Figs are said to be</u> better for us than bananas.

> 主動：They think that he has made great progress. (他們認爲他大有進步。)
> 被動：
> - <u>It is thought</u> that he has made great progress.
> - <u>He is thought to have</u> made great progress.

> 主動：They believe that he has succeeded. (他們相信他成功了。)
> 被動：
> - <u>It is believed</u> that he has succeeded.
> - <u>He is believed to have</u> succeeded.

2. | 主動語態：S + be (seem) + 主動不定詞
   | 被動語態：S + be (seem) + 被動不定詞

be 和 seem 爲不完全不及物動詞，所以本身無被動式，但後面所接不定詞，由於意義上的需要可改爲被動。

　　{ 主動：We are to spend the money on books. (我們打算把錢花在書本上。)
　　{ 被動：The money is <u>to be spent</u> on books.
　　{ 主動：You seemed to have seen me. (你似乎已經看到我。)
　　{ 被動：I seemed <u>to have been seen</u> by you.

3. **get**, **become**, **grow** 後面接過去分詞是表示「轉變」之被動語態。

　　You will <u>get tired</u>. (你會變得疲倦。)

　　He <u>got tired of</u> his work. (他對他的工作厭煩了。)

　　I have <u>become acquainted with</u> her. (我認識她了。)

　　The stream presently <u>became dammed up</u>. (目前已經在那條溪流築了水壩。)

　　He <u>grew alarmed</u> when he heard the news. (當他聽到消息，他很驚慌。)

　　We <u>grew alarmed</u> when we saw the fire. (看到那場火災，使我們很驚慌。)

　　【注意】**be + 過去分詞**是表示一種「狀態」，**get (become, grow) + 過去分詞**是表示一種「轉變」，而且通常不用 *by~*。比較下列兩個句子：

　　　　He **became known** to us on that occasion. (在那個場合，我們開始認識他。)── 轉變
　　　　(= We **came to know** him on that occasion.)【「come to + 原形」也表示轉變】
　　　　He **was known** to us. 〔我們（當時）認識他。〕── 狀態
　　　　(= We **knew** him.)

4. **be** 動詞往往可用 **lie**, **stand**, **feel**, **remain** 等動詞來代替，後面接過去分詞是表「狀態」。

　　The toys <u>lay scattered</u> on the floor. (玩具散落在地板上。)

　　= *The toys were scattered on the floor.*

　　He <u>lies buried</u> here. (他埋葬在這裡。)

　　He <u>stood accused</u> of a crime. (他被控犯罪。)

　　I <u>stand assured</u> of his honesty. (我確信他很誠實。)

　　I <u>stood bewildered</u> for a moment. (我有片刻感到很困惑。)

　　I <u>feel depressed</u>. (我覺得沮喪。)

　　I <u>feel convinced</u> that he is not to be trusted. (我相信他是不可信任的。)

　　The bill <u>remains undecided</u>. (這法案尚未決定。)

　　He <u>remained unmarried</u>. (他還沒結婚。)

　　He <u>remained concealed</u> for a long time. (他藏匿了很長的時間。)

　　He <u>remained composed</u>. (他保持鎮靜。)

5. **have (get) + 受詞 + 過去分詞**

　　have 做使役動詞，無被動態，但可以 have + 受詞 + 過去分詞，表「被動經驗」和「使役」。
　　並注意 have 與 get 的區別：**get 是出自本身的意願，have 出於無奈和自願**。(參照 p.305)

　　I { had【正】
　　　　got【誤】 } my watch stolen. (我的手錶被偷了。)── 出於無奈，只可用 had。

　　I { had【正】
　　　　got【正】 } my watch repaired. (我拿手錶去修理。)── 出於自願 had, got 皆可。

I had my pants pressed. （我拿褲子去燙。）

He had his wound dressed. （他找人把傷口包紮起來。）

6. **有些及物動詞作不及物動詞用時，形式上雖為主動**（不及物動詞無被動），**但表被動意義。**

Good leather will **wear** (= *be worn*) for years. （好的皮革耐用好幾年。）

The plan **worked out** (= *was worked out*) successfully. （這項計劃進行得很成功。）

He caught me by the arm. （他抓住我的手臂。）→ 及物，主動意義。
My coat *caught* on a nail. （我的衣服被釘子鉤到。）→ 不及物，被動意義。

He sells books. （他賣書。）→ 及物，主動意義。
The book *sells* well. （這本書銷路好。）→ 不及物，被動意義。

I read a novel. （我讀一本小說。）→ 及物，主動意義。
The novel *reads* well. （這本小說讀起來很有趣。）→ 不及物，被動意義。

She wears a new shirt. （她穿著一件新襯衫。）→ 及物，主動意義。
This shirt will *wear* very long. （這件襯衫可以穿很久。）→ 不及物，被動意義。

He cut his finger. （他割傷了他的手指。）→ 及物，主動意義。
Meat *cuts* easily. （肉很容易切。）→ 不及物，被動意義。

Railways and ships carry goods. （鐵路及船舶運輸貨物。）→ 及物，主動意義。
The parcel *carries* easily. （包裹容易搬運。）→ 不及物，被動意義。

The soldiers flooded the countryside in order to keep back the enemy.
（士兵們湧進鄉村以擊退敵人。）→ 及物，主動意義。
The fields *flooded*. （田野被洪水淹沒。）→ 不及物，被動意義。

Peel a banana. （剝一根香蕉的皮。）→ 及物，主動意義。
Ripe oranges *peel* easily. （成熟的柳橙很容易剝皮。）→ 不及物，被動意義。

7. **有些進行式，形式上是主動，但包含被動之意。**

The book is printing (= *is being printed*). （這本書正在印刷中。）

The house is building (= *is being built*). （這棟房子正在建造中。）

The drum is beating (= *is being beaten*). （鼓正敲擊著。）

The guns are firing (= *are being fired*). （槍砲正在射擊中。）

Breakfast is getting ready (= *is being got ready*). （早餐就快準備好了。）

Trumpets are sounding (= *are being sounded*). （號角正在響著。）

This book is selling well (= *is being sold well*). （這本書銷路很好。）

What is cooking (= *is being cooked*) in the kitchen? （廚房裡正在做什麼菜？）

8. **有些動詞主動語態與被動語態的意義相同。**

The building { rents / is rented } at $900 a month. （這棟建築物每月租金 900 元。）

She { determined / was determined } to go abroad. （她 { 決定 / 決心 } 出國。）

He $\left\{\begin{array}{l}\text{graduated}\\\text{was graduated}\end{array}\right\}$ from a senior high school.（他高中畢業。）

I would rather $\left\{\begin{array}{l}\text{starve}\\\text{be starved}\end{array}\right\}$ than steal.（我寧願餓死也不願去偷。）

Thousands of English words $\left\{\begin{array}{l}\text{derive}\\\text{are derived}\end{array}\right\}$ from Latin.（數以千計的英文字起源於拉丁文。）

The teacher $\left\{\begin{array}{l}\text{didn't prepare}\\\text{was not prepared}\end{array}\right\}$ to say anything.（老師沒準備要說什麼。）

My brother and his sister $\left\{\begin{array}{l}\text{married}\\\text{were married}\end{array}\right\}$ yesterday.（我哥哥和他姊姊昨天結婚了。）

> 【註】marry 可當及物和不及物兩用動詞，通常表達方式為：
>
> $\left.\begin{array}{l}\textbf{marry}\ (\textit{vi.}, \textit{vt.})\\\textbf{get married (to)}\\\textbf{be married (to)}\end{array}\right\}$（娶；嫁；和～結婚）
>
> He'll marry her.（他要娶她。）
> = He'll be married to her.
> She'll marry him.（她要嫁他。）
> = She'll be married to him.
> She got married to her childhood sweetheart.（她嫁給她青梅竹馬的情人。）
> He got married last year.（他去年結婚。）
> He was not yet married at that time.（他當時尚未結婚。）
> She did not marry until forty.（她直到四十歲才結婚。）
>
> 下列句子都是錯誤的：
>
> $\left.\begin{array}{l}\textit{He married to her.}\\\textit{She married to him.}\\\textit{He married with her.}\\\textit{He got married with her.}\end{array}\right\}$【誤】

9. **有些動詞以被動語態表示主動意義**，其後通常接 at, about, with, of, in 等介系詞。

 ⑴ **表達情緒的動詞**：如「驚奇」、「驚嚇」、「高興」、「惱怒」、「滿足」、「失望」等。

　　I <u>was surprised at</u> hearing him say so.（我聽到他這麼說很驚訝。）

　　I <u>am astonished at</u> his not coming.（我對他不來感到驚訝。）

　　He <u>was frightened at</u> the sight.（那景象令他害怕。）

　　He <u>was alarmed at</u> what he had just heard.（他對剛聽到的消息感到很驚慌。）

　　He <u>was delighted at</u> the news.（他聽到這個消息很高興。）

　　The baby <u>was amused with</u> the new toy.（這嬰兒喜歡這個新玩具。）

　　She <u>was annoyed at</u> the boy's stupidity.（她因那小孩的愚蠢而感到苦惱。）

　　She <u>was offended at</u> my remarks.（她對我的評論感到生氣。）

　　I <u>am pleased with</u> my new house.（我很滿意我的新房子。）

　　He <u>is satisfied with</u> his income.（他很滿意他的收入。）

I <u>am disappointed in</u> our new teacher.（我對我們的新老師大失所望。）

They <u>were disgusted with</u> what they heard.（他們對他們所聽到的事感到厭惡。）

She <u>is</u> much <u>disturbed in</u> her mind about her son's safety.（她很擔心她兒子的安全。）

其他尚有：

be
- startled
- astonished
- amazed
- astounded
} at…（對…感到驚訝）

be
- horrified
- terrified
- scared
- frightened
} at…（對…感到害怕）

be
- depressed
- discouraged
} at (with)…（對…感到沮喪）

be
- distressed
- vexed
} at (with)…（對…感到苦惱）

be
- tired
- wearied
- fatigued
- exhausted
- done up
} with…（因…而疲倦）

be
- contented
- gratified
} with…（對…感到滿意）

be
- puzzled
- bewildered
- confused
- perplexed
} about…（對…感到困惑）

be
- afflicted
- attacked
- seized
} with…（感染…病）

【註1】 表情緒的動詞通常在「非人」做主詞時，用主動或現在分詞；人做主詞時用被動。

- It interests me.（它使我有興趣。）
- = I'm interested in it.（我對它有興趣。）
- = It is interesting to me.（它對我來說很有趣。）

- The news surprised me.（這消息使我驚訝。）
- = I was surprised at the news.（我聽到這消息很驚訝。）
- = The news was surprising to me.（這消息令我驚訝。）

【註2】有時候這些表情緒的動詞也可接 **by** 來表達及物動詞的被動意義。

We <u>were surprised</u> **by** the magician's trick.（那位魔術師的魔術使我們很驚訝。）

Everybody <u>was excited</u> **by** the news of the victory.

（每個人因為這個勝利的消息而感到興奮。）

He <u>was</u> much <u>upset</u> **by** the news.（這個消息令他非常煩惱。）

【註3】這些表情緒的動詞和形容詞一樣，其後可接不定詞。

I <u>am delighted</u> **to see** you in good health.（看到你很健康我很高興。）

I <u>am gratified</u> **to know** his progress.（知道他有進步我很滿意。）

I <u>am much pleased</u> **to hear** of your recovery.（我很高興聽說你康復了。）

⑵ 表達心理關係的動詞：

She <u>was convinced of</u> my innocence.（她相信我的清白。）

He <u>is ashamed of</u> his behavior.（他對他的行為感到羞恥。）

I <u>am acquainted with</u> the lady.（我認識那位女士。）

He <u>is not accustomed to</u> speaking to a large audience.（他不習慣向眾多聽眾發表演講。）

I <u>am almost persuaded of</u> his honesty.（我幾乎相信他是誠實的。）

⑶ 表示「從事…工作」的動詞：（參照 p.547）

He <u>is absorbed in</u> his experiment.（他專心於他的實驗。）

He <u>is engaged in</u> writing a novel.（他正忙於寫小說。）

She <u>is devoted to</u> her students.（她專心於照顧她的學生。）

He <u>was occupied with</u> his work.（他忙於他的工作。）

The girl <u>is employed at</u> (*or* <u>in</u>) the post office.（這個女孩在郵局任職。）

The child <u>is engrossed in</u> an exciting story.（這孩子全神貫注於一個刺激的故事。）

She <u>was involved in</u> working out a puzzle.（她聚精會神於猜謎。）

She <u>is wrapped up in</u> her children.（她全力照料她的孩子。）

⑷ 其他動詞：

He <u>was born of</u> good family.（他出生在一個好家庭。）

He <u>is beloved of</u> (*or* <u>by</u>) all.（每個人都喜歡他。）

We <u>were caught in</u> a shower on the way.（我們在路上遇到下陣雨。）

The house <u>is made of</u> logs.（這房子是由圓木蓋的。）

The ground <u>was covered with</u> the fallen flowers.（地上被落花所覆蓋。）

He <u>was acquitted of</u> the blame.（他已被認為沒有罪。）

He <u>is infatuated with</u> the woman.（他迷戀這個女人。）

The country <u>is infested with</u> robbers.（這個國家充斥著盜賊。）

She <u>was seated at</u> the table.（她坐在桌邊。）

Tom <u>is engaged to</u> Mary.（湯姆和瑪麗訂婚了。）

I do not deserve all the praise that <u>is bestowed on</u> me.

（別人所給我的所有讚美，並非都是我應得的。）

第七篇　一　致（Agreement）

第一章 主詞與動詞的一致

I. 主詞與 be, have 及其他動詞的一致

1. Be, Have

人稱	數	Be 現　在	Be 過　去	Have 現　在	Have 過　去
1	單	I am	I was	I have	I had
	複	we are	we were	we have	we had
2	單，複	you are	you were	you have	you had
3	單	he is	he was	he has	he had
		she is	she was	she has	she had
		it is	it was	it has	it had
	複	they are	they were	they have	they had

I **am** ready. （我準備好了。）

She **has been** here before. （她以前來過這裡。）

You, he and I **are** students. （你、他和我都是學生。）

Jane and John **were** good friends. （珍和約翰是好朋友。）

I **shall be** there tomorrow. （明天我會去那裡。）

2. 主詞為第三人稱單數，於現在式中，動詞必須以單數形（加 s 或 es）。

The sun **rises** in the east and **sets** in the west. （太陽由東方升起，西方落下。）

Our school **begins** at 8:00 a.m. （我們學校上午八點開始上課。）

The jury **consists** of twelve persons. （陪審團由十二個人組成。）

【jury 為一集合名詞，此處視為一集合體，故用單數形動詞】

【注意】主詞如果是不定詞、動名詞或子句時，現在式動詞的字尾也要加 s（或 es）。

Cooking **takes** most of her time. （做菜佔去了她大部分的時間。）

That he is dead **seems** certain. （似乎可以確定他已死亡。）

II. 單一主詞的情況：

1. 主詞為複數，則用複數動詞。

They are my friends. （他們是我的朋友。）

Flowers are loved by everybody. （花為眾人所愛。）

2. be 動詞要和它的主詞一致（和補語無關）。

The best part *of the meal* **is** the coffee and cookies. （這餐飯最好的部分是咖啡和餅乾。）

Coffee and cookies **are** the best part of the meal. （咖啡和餅乾是這餐飯最好的部分。）

The planets **were** the object of my study. （行星是我研究的目標。）

The object *of my study* **was** the planets. （我研究的目標是行星。）

> Cameras **are** the country's leading export.（照相機是該國的主要輸出品。）
> The country's leading export **is** cameras.（該國主要的輸出品是照相機。）

3. **主詞為一個集合名詞時，若指一個集合整體用單數動詞；若指組成集合體的份子時，則用複數動詞。**（參照 p.50）

> My family **is** living in Taipei.（我<u>家</u>住在台北。）
> My family **are** taking separate vacations.（我的<u>家人</u>個別去渡假。）

> The committee **consists** of eleven persons.（<u>委員會</u>由十一個人組成。）
> The committee **are** at dinner.（<u>委員們</u>正在吃飯。）

> The cavalry **was** repulsed with a heavy loss.（<u>騎兵隊</u>因大受損傷而被擊退。）
> The cavalry **wear** scarlet trousers.（<u>騎兵</u>都穿著深紅色的褲子。）

【注意】有些集合名詞不能用作複數：clothing, machinery, poetry, scenery。

> Our warm clothing **protects** us against the cold.
> （我們溫暖的衣服能保護我們不受寒。）
> The machinery **is** driven by electricity.（這機器是由電力驅動。）
> The poetry of Byron **is** beautiful.（拜倫的詩很美。）
> The coastal scenery of Florida **attracts** many tourists.
> （佛羅里達的海岸風光吸引很多觀光客。）

4. **有些名詞雖為複數形式但為單數意義時，用單數動詞。**

Ill news **flies** apace.（壞事傳千里。）

Billiards **is** a popular indoor game played on an oblong table.

（撞球是種很受歡迎的室內遊戲，是在長方形的檯子上玩。）

Mathematics **is** a difficult subject.（數學是個困難的科目。）

His present whereabouts **is** (**are**) unknown.（他目前下落不明。）

【whereabouts 後用單、複數動詞均可】

There **is** a new ironworks by the river.（河邊有座新的鐵工廠。）

Gulliver's Travels **has** wit and irony.（格列佛遊記充滿了機智和諷刺。）

Measles **is** now prevalent all over the city.（痲疹現在正蔓延全市。）

The United Nations **was** organized in 1945, at the end of World War II.

（聯合國成立於 1945 年，第二次世界大戰結束的時候。）

【註】大多數的**複數形抽象名詞**屬於此類，如：

physics（物理學）	civics（公民學）	politics（政治學）
statistics（統計學）	economics（經濟學）	appendicitis（盲腸炎）
dominoes（骨牌遊戲）	ethics（倫理學）	gymnastics（體操）
phonetics（語音學）		

※ **下面的要用單數形：**

music（音樂）　　logic（邏輯學）　　arithmetic（算術）　　rhetoric（修辭學）

但：**means**（方法；手段）單複數同形，因此要看前面形容詞來決定用單數或複數動詞：

⑴ *Every* means **has** been tried.（每種方法都試過了。）

⑵ *All* possible means **have** been tried.（所有可能的方法都試過了。）

5. 「**the + 形容詞**」若表單數名詞，則用單數動詞；若為複數名詞，則用複數動詞。

The true (= *Truth*) always **triumphs**. (真理永遠獲勝。)

The rich (= *Rich people*) **have** to help the poor. (有錢人必須幫助窮人。)

The learned (= *The learned people*) **are** apt to despise the ignorant.
(有學識的人往往會輕視無知識的人。)

The beautiful (= *Beauty*) **is** higher than the good. (美比善高。)

6. 主詞為「**一段時間**」、「**一筆金錢**」、「**一段距離**」、「**一個重量**」時，形式為複數，但**意義上為單數時**，則用**單數動詞**。

One hundred dollars **is** not a large sum of money. (一百元不算是一大筆錢。)

Thirty miles **is** too long a distance for me to walk. (要走三十哩的距離，對我而言太長了。)

Five years **is** too long a time for me. (對我而言，五年的時間太久了。)

Five shillings **is** not much for this book. (這本書五先令並不貴。)

【註】複數名詞若不是表示「單一的觀念」，則須接**複數動詞**。

Twenty days **seems** a long time to wait. (等二十天似乎是相當長的時間。)

= The number of twenty days **seems** a long time to wait. 【表一個數目】

Twenty days **have** passed since I last heard from him. 【表示一天天地過去】
(自從我上次接到他的來信，至今已有二十天了。)

Eighty dollars **is** too much to pay for that pen. (花八十元買那枝筆太貴了。)

= The sum of eighty dollars **is** too much to pay for that pen. 【表一筆金錢】

One hundred cents **make** a dollar. (一百分錢就是一塊錢。)

Ten miles **is** too long a distance for her to swim. (游十英哩對她來說是太遠了。)

= The distance of ten miles **is** too long for her to swim. 【表一段距離】

Five yards of cloth **have** been measured off. (五碼的布已被量好剪下來了。)

Sixteen ounces **is** equal to one pound. (十六盎司等於一磅。)

= The weight of sixteen ounces **is** equal to one pound. 【表一個重量】

Sixteen ounces **make** one pound. (十六盎司等於一磅。)

7. 表**部分**的情況，須視其後的名詞而定：

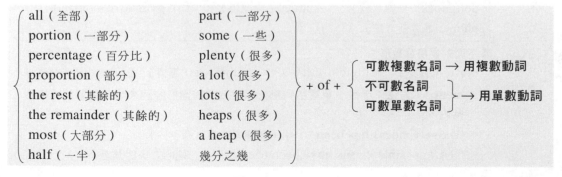

Most of his students **are** lazy.（他的學生大多懶惰。）

Most of it **is** spoilt.（它大部分都壞了。）

Most of her time **is** spent in making herself up.（她大部分的時間都用在化粧上。）

The greater part of the students **have** passed the examination.

（大部分的學生都通過了考試。）

Part of the work **was** done.（一部分的工作已完成。）

Half of this building **is** to be completed by autumn.（在秋天前本大樓將完成一半。）

Half of the buildings on our campus **are** of red-brick construction.

（我們校園半數的大樓是紅磚的建築。）

Some of my money **has** been lost.（我遺失了一些錢。）

Some of our students **have** been awarded scholarships.（我們一些學生得到了獎學金。）

The rest of us **are** to stay at home.（我們其餘的人會留在家中。）

The rest of the money **was** stolen.（其餘的錢被偷了。）

Two-thirds of these people **are** educated men.（這些人有三分之二受過教育。）

Three-fifths of the mail **was** sent by air.（郵件有五分之三是航空郵件。）

No food is left; all of it **has** been eaten.（沒有食物剩下來；所有的都被吃光了。）

No students are left on the campus; all of them **have** gone home for vacation.

（沒有學生留在校園裡；所有的學生都回家渡假去了。）

※ 如果只有 all，後面沒有 of 片語，若代表「人」或「動物」則用複數動詞；若表「事物」則用
單數動詞。

<u>All</u> <u>are</u> quite well.（大家都很健康。）

<u>All</u> <u>sounds</u> very strange to me.（我聽起來一切都很奇怪。）

8.
$$\left.\begin{array}{ll} \text{one} & \text{anyone} \\ \text{every one} & \text{either} \\ \text{each one} & \text{neither} \\ \text{each} \end{array}\right\}$$
+ of + **複數名詞** + **單數動詞**（either, neither 在口語中可接複數動詞）

One of the most unpleasant experiences in city life **is** the traffic mess.

（都市生活最令人不愉快的經驗之一，就是交通混亂。）

Each (*one*) of them **does** his best.（他們每個人都盡全力。）

Every one of the students **is** studying hard.（每一個學生都正在用功唸書。）

Neither of the girls **is** pretty.（這兩個女孩沒有一個漂亮的。）

Either of them **is** good enough.（他們兩個中的任一個都夠好了。）

9.
many + 複數名詞（做主詞）→ 用複數動詞和複數代名詞
many a + 單數名詞（做主詞）→ 用單數動詞和單數代名詞

Many students **are** doing **their** homework.（許多學生正在做家庭作業。）

Many a student **is** doing **his** homework.（同上）

※ many and many a 也作「很多」解，不過語氣較強，也用單數動詞。

Many and many a student **is** absent today.（今天有很多很多學生缺席。）

10.
$$\begin{cases} \textbf{little, a little, much}（做主詞）\rightarrow 用單數動詞 \\ \textbf{few, a few, many, both, several}（做主詞）\rightarrow 用複數動詞 \end{cases}$$

The little of his work that I have seen **seems** excellent.

（我所看到的他僅有的那一點工作似乎做得很好。）

Much **has** been done.（已經做了很多了。）

A few of our items **have** been discontinued.（有幾項我們已不再進貨了。）

Several **have** already written to me.（有幾個人已經寫信給我了。）

Both **are** in the closet.（兩個都在櫃子裡。）

11.
$$\begin{cases} \textbf{more than one}（\textit{or }\textbf{a}）（不只一個）修飾主詞時，要用\textbf{單數}動詞。 \\ \textbf{more than two}（不只兩個）修飾主詞時，要用\textbf{複數}動詞。 \end{cases}$$ （參照 p.402）

More than one student **was** punished.（受處罰的學生不只一個。）

More than an hour **has** elapsed since it happened.

（從那件事發生後，已經過了一個多小時。）

More than two students **were** punished.（受處罰的學生不只兩個。）

More than two hours **have** elapsed since it happened.

（從那件事發生後，已經過了兩個多小時。）

【註】比較下列含 more than 句子裡，動詞的用法。

More than one student **has** found the solution.（不只一個學生找到解決的方法。）
‖ S V
(Over)

More students than one **were** punished.（許多學生受處罰。）
↑ S V

More than one of my friends **were** killed in the accident.
S V

（我的朋友，不只一個死於此意外事故。）

There **is** more than one man here.（不只一個人在這裡。）
V ‖ S
over

= There **are** more than one man here.【在 there 後可用單、複數動詞】
V S

12.
$$\begin{cases} \textbf{a (great, good, large) number of} + 複數名詞 \rightarrow 用複數動詞 \\ \textbf{the number of} + 複數名詞 \rightarrow 用單數動詞 \end{cases}$$

A number of students **were** absent yesterday.（昨天有許多學生缺席。）

The number *of students in the music class* **is** limited to five.

（上音樂課的學生人數限制是五人。）

13. There $\begin{cases} \text{is} \\ \text{are} \end{cases}$ 的句型

There 後面的動詞之單複數，須視其後之主詞而定。如果是單數主詞就要用單數動詞，複數主詞就用複數動詞。

There **is** a man at the door. (在門口有個人。)

There **are** several people at the door. (在門口有幾個人。)

Here **is** something for you. (有一樣東西要給你。)

Here **are** several books for you. (有幾本書要給你。)

There **has** been much rain this year. (今年已經下了很多雨。)

There **have** been many exciting games this fall. (今年秋天有很多刺激的比賽。)

There **live** many people by the seashore. (海邊住了很多人。)

【註1】There is (are) 之後若有兩個以上的主詞，以靠近動詞的主詞單、複數為準。

There $\begin{cases} \textbf{is}\text{【正】} \\ \textit{are}\text{【誤】} \end{cases}$ a man and a woman in the room. (房間裡有一男一女。)

There $\begin{cases} \textbf{are}\text{【正】} \\ \textit{is}\text{【誤】} \end{cases}$ two men and one woman in the room. (房間裡有二男一女。)

【註2】以其他片語取代 There (Here) 時，其動詞的單複數視動詞之後主詞的總數而定。

In front of our Administration Building $\begin{cases} \textit{stand}\text{【誤】} \\ \textbf{stands}\text{【正】} \end{cases}$ a towering oak.

(在行政大樓前有棵高大的橡樹。)

In front of our Union Building $\begin{cases} \textit{stands}\text{【誤】} \\ \textbf{stand}\text{【正】} \end{cases}$ an elm, two maples, and an oak.

(在工會大樓前聳立著一棵榆樹、二棵楓樹，及一棵橡樹。)

14. **such, some** 做主詞指「人」時，代表複數，所以用複數動詞。

Some **think** so. (有些人這麼想。)

Such as (= *Those who*) **are** of my opinion stand by me. (和我持相同意見的人都支持我。)

【注意】Such 做主詞指「事物」時，則視其意義而決定動詞的單複數。

Such **are** the facts. (這些就是事實。)

Such **is** the reason. (這就是理由。)

15. **算術式中的動詞**，近年來單複數都通用，但依正規文法而言，仍有所區別：(詳見 p.176)

⑴ **加法與乘法，通常單複數動詞均可。**

Two and four **are** (*or* **is**) six. $\left.\begin{array}{l} \\ \end{array}\right\}$ (2＋4＝6)

Two and four **make** (*or* **makes**) six.

How much **is** (*or* **are**) ten times ten? (10×10＝ ？)

【注意】如果「加」用 plus，則應該用單數動詞。

Two *plus* four **is** six. (2＋4＝6)

如果「乘」之後是 one，則用單數動詞。

Four times *one* **is** four. (4×1＝4)

乘法中的乘用 "multiplied by" 不用 "times" 時，不可用複數動詞。

8 (*multiplied*) by 5 **equals** 40. (8×5＝40)

⑵ **減法與除法中用單數動詞。**

Ten minus two **leaves** eight.
Two from ten **leaves** eight. $\Big\}$（10－2＝8）

Twenty divided by five **equals** four.（20÷5＝4）

16. **不定詞、動名詞、名詞片語、名詞子句做主詞時，動詞用單數。**

To teach **is** to learn.（教學相長。）

To plan a composition in advance **is** a good idea.（事先起草一篇作文是個好主意。）

To send food and clothing to the flood victims **was** his first thought.
（他最先想到的是給水災的難民送食物和衣服。）

Running **is** his favorite sport.（跑步是他最喜歡的運動。）

Eating a variety of foods **is** essential for one's health.
（吃各種不同的食物對一個人的健康很重要。）

Asking your employer for special favors **is** not a wise thing to do.
（對你的老板要求特別待遇不是一件聰明的事情。）

How to do it **is** still unknown.（還不知道要怎麼做。）

Whether to go **is** still undecided.（是否要去尚未決定。）

How we will do it **is** none of your business.（我們會怎樣做不關你的事。）

Whatever is worth doing **is** worth doing well.（凡是值得做的事就值得做好。）

That we must open up new markets **is** obvious.（我們必須開拓新市場是很明顯的事。）

Ⅲ. 複合主詞的情況：

1. A and B 的情形，可分為下列四種：

⑴ **A，B 為兩個不同的單數名詞或代名詞，通常用複數動詞**

Blue and yellow **make** green.（藍加黃則變成綠。）

He and I **are** good friends.（他和我是好朋友。）

To preach and to practice **are** two different things.（空談與實行是兩件不同的事。）

A letter and a package **have** arrived for Mrs. Thompson.
（湯普生太太的信和包裹已經送達。）

The house and the automobile **were** both painted green.（房子和汽車都被漆成綠色的。）

Both the secretary and the treasurer **have** agreed to be present.
（秘書和會計已經同意出席。）

⑵ **A，B 表示同一個人、物或觀念時，用單數動詞**

比較 $\left\{\begin{array}{l}\text{The poet and musician } \textbf{visits} \text{ our school today. 【同一人】} \\ \text{（這位詩人兼音樂家今天來訪問我們學校。）} \\ \text{The poet and the musician } \textbf{visit} \text{ our school today. 【兩個人】} \\ \text{（這位詩人和這位音樂家今天來訪問我們學校。）}\end{array}\right.$

　　　　※ 同一個人只用一個冠詞，如果是不同的兩個人，就要用兩個冠詞。

The secretary and treasurer of our club **is** Mr. Harrison.
（我們俱樂部的秘書兼會計是哈里遜先生。）

Your screeching and shouting **is** making her nervous.（你的大叫大喊使她緊張。）

When a man reaches forty years of age, his vigor and creativity **is** at its peak.

（當一個人年到四十，他的活力與創造力就達到了高峰。）

Slow and steady **wins** the race.（慢而穩者得勝。）

All work and no play **makes** Jack a dull boy.（只工作不玩樂，使傑克成了一個呆子。）

Early to bed and early to rise **makes** a man healthy, wealthy and wise.

（早睡早起使人健康、富有和聰明。）

【註】其他例子如：

the long and short of it **is**（總之）	the rise and fall of…**is**（…起落是）
the sum and substance of…**is**（…的要旨是）	the use and object…**is**（…目的在）
the end and aim of…**is**（…目的是）	wear and tear **is**（損耗是）

⑶ **A，B 之前伴有 each, every, many a, no…等修飾語時，用單數動詞**

Each boy and (*each*) girl **wears** a badge.（每個男孩和女孩都戴個徽章。）

Every man, woman, and child here **is** an expert swimmer.

（這裡的每個男人、女人和小孩都是游泳專家。）

Each boy and girl here **has** received polio shots.

（這裡的每個男孩和女孩都已接受小兒麻痺疫苗的注射。）

No sound and no voice **is** heard.（一點聲音都沒有。）

No teacher and (*no*) student **was** present.（沒有一個老師和學生出席。）

Many a boy and (*many a*) girl **has** made the same mistake.

（許多男孩和女孩都犯了同樣的錯誤。）

⑷ **A，B 爲兩個不可分的東西時，用單數動詞**

The candlestick and candle **sells** for one hundred dollars.【視爲一件東西】

（燭台連蠟燭賣一百元。）

A watch and chain **was** found on the desk.（在桌上找到了一只懷錶。）

Spaghetti and meat sauce **is** a favorite dish with our employees.【視爲一種食物】

（肉醬拌的通心粉是我們員工最喜歡的食物。）

Bread and butter **is** nutritious.（奶油麵包很營養。）【視爲一種食物】

2. A or B
Either A or B
Neither A nor B
Not only A but also B
} **動詞與靠近者一致**（即在敘述句與 B 一致，在疑問句與 A 一致）

One *or* two days **are** enough to see the city.（要參觀那城市，一兩天就夠了。）

Are you *or* he to blame?（是你或是他該受責備呢？）

Either the college president *or* the college trustees **are** responsible for setting the policy.

（不是大學校長就是大學董事們要負責制定政策。）

Either the college trustees *or* the college president **is** responsible for setting the policy.

（不是大學董事們就是大學校長要負責制定政策。）

Neither my gloves *nor* my hat **goes** with this dress.
（我的手套和帽子都和這件衣服不配。）

Neither time *nor* effort **is** enough to improve his grade.
（時間和努力都不足以改進他的成績。）

Neither the girls *nor* the boys **want** the party to be cancelled.
（女孩和男孩都不願這宴會被取消。）

Not only the mayor *but also* the city council members **oppose** the new zoning law.
（不僅市長而且市議員們也反對這新的區域法。）

Not only the city council members *but also* the mayor **opposes** the new zoning law.
（不僅市議員們而且市長也反對這新的區域法。）

3. A + { with / together with / along with / coupled with / but (= except) / as well as / no less than / in addition to (= besides) ／ like / unlike / plus（不表示「加」）/ among / including / accompanied by / followed by / rather than } + B + 動詞（動詞與 A 一致）

The teacher *with a number of students* **is** in the classroom.（老師和許多學生在教室裡。）

比較 {
Courage *with common sense* **is** needed.（勇氣配合常識是需要的。）
Courage and common sense **are** needed.（勇氣與常識是需要的。）
}

The bat *together with the balls* **was** stolen.（球棒和球都被偷了。）

The master *together with his servants* **was** walking along the river.
（主人和他的僕人沿著河走。）

This dam *along with the four or five other dams along the river* **forms** part of the network of hydroelectric plants.
（此水壩連同沿著河的其他四、五個水壩，形成了水力發電廠網路的一部分。）

Mr. Franklin, *in addition to three salesmen*, **plans** to attend the convention.
（除了三位推銷員，富蘭克林先生也打算去參加年會。）

Everyone else, *in addition to* (or *besides*) *his parents*, **was** excited at the news.
（除了他的父母之外，其他的人也為這個消息感到興奮。）

You *like me* **are** inclined to be nervous.（你和我一樣容易緊張。）

All the students *except John* **were** present.（除了約翰之外，所有的學生都出席了。）

All *but one man* **were** drowned.（除了一個人之外，全部都淹死了。）

Our five-ton truck, *as well as our light delivery wagons*, **is** going to be traded for a later model.（我們五噸的卡車和輕型送貨車，將換較新型的車種。）

Your friends, *no less than I*, **will** be glad to see you.
（你的朋友和我一樣，將很高興見到你。）

【註】except 與 besides 的中文意思都是「除了…之外」，但其中有很大的區別，except 是 not including 的意思；besides 是 in addition to 的意思，也就是「除了…之外（還有）」的意思。（參照 p.570）

比較 {
Nobody was late except me.（除了我以外，沒有人遲到。）
Five others were late besides me.（除了我之外，還有五個人遲到。）
}

IV. 有關主詞與動詞一致的其他情況：

1. 關係代名詞（who, that,…）做子句主詞時，其後的動詞，須與先行詞一致。

I, who **am** your friend, will help you when you are in need.
（我身為你的朋友，在你需要時會幫助你。）

My wife, who **lives** in Taipei, has just written me a letter.
（我太太，她住在台北，剛剛給我寫了一封信來。）

The book that **is** lying on the table is mine.（放在桌上的那本書是我的。）

比較 {
Our city has three excellent beaches, which **attract** many of our residents each summer.（我們城裡有三個很棒的海灘，它們每年夏天都吸引很多居民。）
Our city has an excellent beach, which **attracts** many of our residents each summer.（我們城裡有個很好的海灘，它每年夏天都吸引很多居民。）
}

【註 1】傳統文法觀念中，one of + 複數名詞做先行詞時，其後子句用複數動詞，而 the only one of + 複數名詞做先行詞時，其後子句用單數動詞。

That is **one** of the few good books that **have** been written this year.
（這是今年所寫出來的少數好書之一。）

He is **the only one** of the children who often **speaks** ill of others behind their backs.
（他是那些小孩中，唯一時常在別人背後說壞話的人。）

現代文法觀念中，形容詞子句中的動詞應和 one of 的 "one" 在數目上一致，而不是和後面的複數名詞片語一致，用單數形動詞。

Roman law is **one** of the greatest systems that **has** ever existed.
（羅馬法律是有史以來最偉大的體制之一。）

It is **one** of the most costly defeats that **has** been inflicted on the Carter Administration.
（這是卡特政府所遭受到代價最大的挫敗之一。）

That is **one** of the most valuable books that **has** appeared in recent years. — Curme
（這是近年來所出現的最有價值的一本書。）

I resemble **one** of those animals that **has** been forced from its forest to gratify human curiosity. — Goldsmith
（我就像一隻為了滿足人類的好奇心而被從森林裡趕出來的動物一樣。）

「one of + 複數名詞」之後的形容詞子句，動詞用單數形或複數形，和語法的演變有關，語言隨著時間會產生變化。雖然目前這兩個規則未成定論，但使用後者（用單數動詞）的人愈來愈多，即把 one 當作後面形容詞子句的先行詞，而忽略了 of 後的複數名詞地位。

【**註 2**】 先行詞爲名詞做**主詞補語**，且與**主詞**同指一人時，關係代名詞之後的**動詞與主詞的人**
稱、數一致。

I am a person who $\left\{ \begin{array}{l} \textbf{have}\ 【正】 \\ \textit{has}\ 【誤】 \end{array} \right\}$ worked my way through college.

（我是一個半工半讀完成大學學業的人。）

但加強語氣的 It is…that… 形式要和眞正主詞一致，不要管文法上的主詞 "It"。

It is he that **is** to blame.（該受責備的是他。）

It was my parents that **were** waiting.（是我父母在等候。）

2. 如果主詞是由肯定與否定合組而成時，則動詞與肯定主詞一致。

$\left. \begin{array}{l} \text{Not you but I} \\ \text{I, not you,} \end{array} \right\}$ **am** to blame.（該受責備的是我不是你。）

$\left. \begin{array}{l} \text{Not he but you} \\ \text{You, not he,} \end{array} \right\}$ **are** to be fired.（是你而不是他將被開除。）

$\left. \begin{array}{l} \text{It is not you but she} \\ \text{It is she not you} \end{array} \right\}$ that **is** wrong.（錯的是她而不是你。）

3. no 修飾單數主詞時，用單數動詞；no 修飾複數主詞時，用複數動詞。

No one **showed** up.（沒有人出現。）

No two **think** alike.（沒有兩個人想法一樣。）

There **is** no sound in the room.（房間裡一點聲音都沒有。）

There **are** no birds in the sky.（天空中沒有鳥。）

4. 數字做主詞時，要用單數動詞。

Five **is** an odd number.（五是個奇數。）

Forty-nine **is** less than fifty.（四十九比五十小。）

5. any 用單複數動詞皆可，但現代英語有用複數動詞的傾向。

$\left. \begin{array}{l} \textbf{Does} \\ \textbf{Do} \end{array} \right\}$ any of you know?（你們當中有誰知道？）

Any of these $\left\{ \begin{array}{l} \textbf{is} \\ \textbf{are} \end{array} \right\}$ long enough.（任何一個都夠長。）

6. $\left\{ \begin{array}{l} \textbf{one or two}（一、兩個）做主詞或修飾主詞時，要用複數動詞。 \\ \textbf{a…or two}（一、兩個）做主詞時，用單數動詞。 \end{array} \right\}$ （參照 p.396）

There **are** one or two stars in the sky.（天空有一、兩顆星星。）

One or two soldiers **were** missing in the battle.（一、兩個士兵在戰役中失蹤了。）

A student or two **was** punished.（一、兩個學生被處罰。）

第二章 代名詞與其先行詞的一致

I. 性的一致：

1. 名詞與代名詞如果指同一人時，其性別與數必須一致。

Helen gave *her* ticket to Jane.（海倫將她的票給了珍。）

John sends *his* regards to you.（約翰向你致意。）

This *vacuum cleaner* is highly recommended for *its* durability.

（這種吸塵器因爲耐用而被大力地推薦。）【即使用時間長】

Bill and Jack will drive *their* cars.（比爾和傑克要開他們的車子。）

Bill and I will drive *our* cars.（比爾和我將開我們的車子。）

2. 代名詞如果有兩個先行詞，應當與靠近它的一致。

He loves anything and everybody **who** is connected with his work.

（他喜愛與他工作有關的每個人與任何事物。）

He loves anybody and anything **which** is connected with his work.

（他喜愛與他工作有關的任何事物與任何人。）

Either the plant or the flowers will lose **their** freshness.

（不是那植物就是花，將要失去它們的新鮮度。）

3. 嬰兒通常視爲通性。

The *baby* raised *its* hand.（嬰兒舉起他的手來。）

如果**強調其性別**，則可用下例：

The baby turned **his** (**her**) head.

4. **Everyone**, **each** 等代名詞做主詞時，通常取陽性代名詞。（參照 p.139）

Each did *his* best to make the program a success.

（每個人都盡力使該節目成功。）

Everyone who is coming has paid for *his* ticket.（每個要來的人都付錢買了票。）

Anyone may apply for the job provided *he* is eighteen years or older.

（如果滿十八歲以上，任何人都可以應徵那個工作。）

5. 擬人法的性別一致。（詳見 p.92）

(1) 國家、都市通常視爲陰性（也可視爲通性）。

America is proud of **her** huge power of production.（美國以其龐大的生產力爲榮。）

Switzerland is noted for **its** mountains and lakes.（瑞士以其高山和湖泊著名。）

(2) 船、火車等交通工具常視爲陰性。

The Queen Mary launched **her** maiden voyage last week.

（瑪麗皇后號上週下水做處女航。）

(3) 無生物或抽象名詞人格化時，大都以一些**強有力的、偉大的、可怕的事物為陽性**，以一些**溫柔的、美麗的事物為陰性**。

Nature never deceives those who love *her*. (大自然從不欺騙愛她的人。)

　　【注意】 英語中，許多名詞有其陰、陽性 (參照 p.89)，因此在使用時須特別小心。

　　　　　　He is an *actor*. (他是個男演員。)

　　　　　　She is an *actress*. (她是個女演員。)

　　　　　　You are your own *master*. (你是你自己的主人。)

　　【註】 在英語中，雖有陰陽之別的單字，但若不強調性別之差異，**往往以陽性概括兩性**。

　　　　　Pearl Buck is a great **author**. (賽珍珠是一位偉大的作家。)

　　　　　上例 author 包括 authoress，但一般很少用 authoress。

　　　　　Emily Dickinson was an American **poet**. (狄瑾蓀是個美國詩人。)

　　　　　poet 是男女詩人兼用。

　　　　　但是 actor, actress; waiter, waitress 通常分別使用，又如 doctor，「女醫生」很少人用 doctress，在美國一般人用 woman doctor 或 female doctor。

II. 數的一致：

1. 名詞與指示形容詞的一致。

This book is mine; **that** book is John's. (這本書是我的，那本書是約翰的。)

These books are easier than **those** books. (這些書比那些書容易。)

2. 受格的名詞要與所有格的人稱名詞的數一致。

They all lost **their** lives. (他們都喪失了生命。)

We have changed **our** minds. (我們已改變心意。)

He changed **his** mind. (他改變了心意。)

3. 集合名詞當整體看用單數代名詞，當成組成份子的個體看就用複數代名詞。

The group has signified **its** intention to strike. (這團體已表示了其罷工的意願。)

The group are planning **their** Christmas party. (團員們正在規劃他們的聖誕派對。)

The family always worked out **its** problems by **itself**. (這家庭常常由自己解決問題。)

The family tried **their** best to stay out of trouble. (這家人都盡力遠離麻煩。)

III. 其他的一致：

1. 格的一致：主格補語和受格補語

⑴ **主格補語：**

比較 The author was believed to be **he**. (作者被認為是他。)
　　 I believed the author to be **him**. (我相信作者是他。)

說明：前一句 he 修飾主詞 author 故用主格；後一句 him 修飾受格 author 故用受格。

I thought that the tall girl was **she**. (我認為那個很高的女孩是她。)

John thought that the person *he thought of* was **I**. (約翰以為他想到的那個人是我。)

說明：因為 girl 與 person 是做附屬子句的主詞，所以後面的代名詞要用 she 與 I。

⑵ **受格補語：**

I thought the tall girl to be **her**.

John thought the person to be **me**.

說明：因為 girl 與 person 是 thought 的受詞，故其修飾語應該用受格，her 與 me。

綜合上面所述，我們可以得到下面兩個結論：

⒈ **一個代名詞被用來做主詞補語時，永遠用主格。**

It is **I**.　　　　　　　　　　It was **he**.

It may be **they**.　　　　　　　It could have been **she**.

但在英文口語中多用受格。

It's **me**.　　　　　It may be **them**.　　　　It could have been **her**.

⒉ 在 to be, to have been 後面的代名詞用主格或是用受格，**要根據在不定詞（to be, to have been）之前的代名詞的格來決定**。如果在其（to be）前的代名詞是受格，那麼在其後的代名詞也要用受格。

比較
受格
{
I believed it to be **him**.
He knew it to have been **them**.
}
（因 to be 前面的 it 是受格，所以後面的代名詞也用受格。）

主格
{
It seemed to be **they**.
It was believed to be **he**.
}
（因為 to be 前面的 it 是主格，所以後面的代名詞也用主格。）

2. **關係代名詞格的一致：**（參照 p.150）

⑴ **關係代名詞的格**與前（先）行詞無關，**完全看它在關係子句中的地位而定**；如果做主詞則用主格，做受詞則用受格。

比較
{
I know a man **who** will help you.（我認得一個人，他會幫忙你。）
I know a man **whom** you can trust.（我認得一個人，你可以信任他。）
}

說明：前句 who 做形容詞子句的主詞，故用主格。後句 whom 做子句動詞 trust 之受詞。

比較
{
Whoever has worked for us ten years is entitled to three weeks' vacation.
（凡是替我們工作滿十年的人，都給三週的假期。）
Whomever you hire will be given this job.（無論你雇用誰，這個工作都給他。）
}

說明：上一句 whoever 在子句中是做主詞，所以用主格。下一句 whomever 在子句中是做動詞 hire 的受詞，所以用受格，但整個子句和上一句相同，都是做全句的主詞。

Connelly and Barker was the company to **whom** I sent the bill.

（康納利・貝克公司是我寄帳單去的公司。）

說明：whom 是受格，它是介詞 to 的受詞，但其先行詞 company 卻是主詞補語算是主格，所以我們強調關係代名詞的格與其前（先）行詞無關。

⑵ **關係代名詞 who, whoever 不受插入句,像 I think, I feel, they say…等的影響。**
也就是說不要把它們誤認為是插入句的受詞。

Our salesmen John and Jones are the ones who, *I think*, should be given district
managers' jobs.

(我認為分區經理的工作,應該給我們的售貨員約翰和瓊斯。)

【注意】如果句子很短,插入句的逗點可以省略。

> Whoever *you think* should go will be sent. (你認為誰應該去就派誰。)
> Whoever *you think* is eligible, I shall recommend.
> (你認為誰合格,我就推薦他。)

比較 {
> We will elect <u>whoever</u> *we believe* is worthy.
> We will elect <u>whomever</u> we believe to be worthy.
> (我們將選我們認為值得的人。)
}

說明: 上句的 we believe 是插入句,whoever 乃子句的主詞。下句的 we believe 不是
插入句,而是關係子句;whomever 是 believe 的受詞。

<u>再看下面的類例:</u>

{
> This is the fellow <u>who</u> *I thought* was a friend. 【I thought 是插入句】
> This is the fellow <u>whom</u> I thought to be a friend. 【I thought 是關係子句】
> (這傢伙我認為是朋友。)
}

{
> I know a girl <u>who</u> *people think* is a genius. 【people think 是插入句】
> I know a girl <u>whom</u> people think to be a genius. 【people think 是關係子句】
> (我認識一個女孩,人們認為她是個天才。)
}

以上是說明插入句與關係子句的不同點,現在讓我們再深入地探討一下插入句的其他
情形。

{
> He is the man <u>who</u> people said should have been chosen.
> He is the man <u>whom</u> people said we should have chosen.
> (他正是人們所認為我們早該選擇的人。)
}

說明: 上句和下句的 people said 都是插入句,那麼為什麼上句用 who,而下句用
whom 呢?這是因為上句 who 是從屬子句的主詞,而下句的 whom 則是
chosen 的受詞。

{
> He is not the man <u>who</u> I thought he was.
> He is not the man <u>whom</u> I thought him to be.
> (他不是我所想像的那種人。)
}

說明: 兩句中的 I thought 都不是插入句而是關係子句,上句 who 是做該子句主詞 he
的補語,所以是主格;下句 whom 是做受詞 him 之補語,所以是受格。

3. 同位語的一致：

同位語應當和它所解釋或限制的名詞同格。

We, <u>you and I</u>, are the only candidates with a chance to win.【主格】

（我們 —— 你和我 —— 是唯一有機會獲勝的候選人。）

The dean gave friendly advice to both of us, James and <u>me</u>.【受格】

（輔導主任給我們倆 —— 詹姆士和我 —— 善意的忠告。）

Last evening the club pledged two additional men, my roommate and <u>me</u>.【受格】

〔昨晚該俱樂部收了兩個額外的預備會員 ——（就是）我和我的室友。〕

IV. 最後提示：

避免用一個代名詞來指示兩個先行詞，以免造成混淆與誤解。

【例 1】　When a salesman hands over an article to a customer, <u>he</u> is not always certain of its worth.

　　　　說明：上句的 he 到底指的是誰，salesman 或 customer？很容易造成誤解，所以應該改成下面的句子。

　　　　　　A salesman is not always certain of the worth of an article when <u>he</u> hands it over to a customer.

　　　　　　（當一位售貨員把一件物品交給顧客時，不一定能確定該物品的價值。）

【例 2】　The professor told George that <u>he</u> should vote in the next election.

　　　　上句的 he 代表的人不明顯，是指 The professor？或 George？

　　　　如果是指 The professor 就應改成：

　　　　The professor said, "I shall vote in the next election."

　　　　The professor told George of his intention to vote in the next election.

　　　　（教授告訴喬治，他想要在下次選舉時投票。）

　　　　如果是指 George 就應改成：

　　　　The professor advised George to vote in the next election.

　　　　The professor told George that he, as a mature student, should vote in the next election.

　　　　（教授告訴喬治說，他已是個成熟的學生，應該在下次選舉時投票。）

練 習 一

請改正下列各題句子中的錯誤。（用最少的字數）

1. So far as I concern, the work is interesting.

2. He look as if he suspect something.

3. Being a liar, he cannot be relied.

4. These tools have been left laying in the rain.

5. To raise from a house carpenter to the ruler of the world was his ambition.

6. We discussed about the problem.

7. So far as grammar is concern, this sentence of yours is correct.

8. This is what he need most.

9. This amount of money is enough to live.

10. He has been there yesterday.

11. He will see you when he will come back.

12. This house resembles to that one.

13. "John, come here quickly!" "Yes, mother, I'm going."

14. I was spoken by a foreigner.

15. His daughter married with a wealthy man.

16. The law prohibits minors to smoke.

【解答】

1. concern → *am concerned*，*so far as I am concerned*「就我個人而言」。 2. look → *looks*；suspect → *suspected* (or *suspects*) 3. relied → *relied (up)on*「依賴；指望」。 4. laying → *lying*（詳見 p.295） 5. raise → *rise* (v.i.)「上升；晉升」，*raise* (v.t.)「舉起」。（詳見 p.295）
6. discussed about → *discussed* (v.t.)「討論」，*discuss sth. with sb.*「與某人討論某事」。
7. concern → *concerned*，*so far as…is concerned*「就…而言」。 8. need → *needs*，*need* 在此做主要動詞。 9. live → *live on*「以…為食；靠…生活」。 10. has been → *was*，*yesterday* 和過去式連用。 11. will come → *comes*（詳見 p.327） 12. resembles to → *resembles* (v.t.)「與…相像」。
13. going → *coming*，*I'm coming.*「我就來。」 14. spoken → *spoken to*，*speak to sb.* = *sb. is spoken to*。 15. married with → *married*（詳見 p.389）。 16. to smoke → *from smoking*，*prohibit…from*「阻止」，*minor*「未成年者」。

練 習 二

請改正下列各題句子中的錯誤。（用最少的字數）

1. Nothing great have been done by these idle people.

2. He showed me the camera which he bought the day before.

3. Two years passed since my father has died.

4. I am knowing him since we were boys together.

5. The two white cats are belonging to my aunt.

6. The ship hardly left the port when a storm came.

7. The sun will set by the time they will get there.

8. He said that his father returned the day before.

9. There was no trace of his bed having been slept.

10. You will be looked down if you do such a thing.

11. "Do you know who sent the letter?" "No. I wish I know."

12. I should not have said it if I had thought it would have shocked her.

13. If you did not help me, I must have failed.

14. This is the classroom for us to study.

15. The rain prevented us to start.

16. I object to be treated like this.

17. No one has ever succeeded to explain this phenomenon.

【解答】

1. have → **has**，*nothing* 之後的動詞要用單數。　2. bought → **had bought**（詳見 p.338）　3. passed → **have passed**；has died → **died**（詳見 p.337）　4. am knowing → **have known**，*know* 是表狀態的動詞，不用進行式，*since* 前常用完成式。　5. are belonging → **belong**，*belong* 沒有進行式。（詳見 p.343）　6. hardly left → **had hardly left**（詳見 p.340）　7. will set → **will have set**；will get → **get**，表「時間或條件」的副詞子句中，要用現在式代替未來式。　8. returned → **had returned**（詳見 p.339）　9. slept → **slept in**，…of his bed *having been slept in*.　10. looked down → **looked down upon**「輕視」。　11. I know → **I knew**，*I wish* 後子句用過去式，表示對現在不可能的希望。（詳見 p.368）　12. would have shocked → **would shock**（詳見 p.364）　13. did not help → **had not helped**（詳見 p.319, 362）　14. study → **study in**，…the classroom *for us to study in*.　15. to start → **from starting**，*prevent…from*「阻礙；妨礙」。　16. be → **being**，*object to* +（動）名詞「反對」。　17. to explain → **in explaining**，*succeed in* + ～*ing*「在…方面成功」。

練 習 三

請改正下列各題句子中的錯誤。（用最少的字數）

1. Never I said such a thing!

2. Please have my luggage carry to the station.

3. A number of people was present.

4. I prefer to read books than to watch television.

5. On that day he was prevented by illness to attend the party.

6. Not only John but also William are to blame.

7. No voice or sound were heard.

8. Experience as well as scholarship are necessary to a teacher.

9. We saw many objects in the room as follow: books, pads, pencils, pens, six clips, etc.

10. Last night I saw a strange dream, but I have no clear remembrance of it now.

11. He drinks too many cigarettes.

12. When you leave this room, please lock the door and bring the key with you.

13. They gradually became to enjoy their English lessons.

14. Henry asked us not to mention about his failure in the test.

15. He absented from the meeting yesterday on account of illness.

16. He is still laying down on the very bed where we last saw him.

17. I am afraid I did two mistakes in dictation.

18. I'm told Mr. Smith left from New York a few days ago.

【解答】

1. I said → *did I say*，否定字放在句首，助動詞或 be 動詞和主詞須倒裝。　　2. carry → *carried*，
have + 物 + p.p.　　3. was → *were*，*a number of = several*　　4. to read → *reading*；than to watch
→ *to watching*（或只改 than to watch → *rather than watch*）（詳見 p.204）　　5. to attend → *from
attending*，*prevent～from…*「阻止…」。　　6. are → *is*，*not only…but also* 連接兩個主詞時，動詞的
數與後者一致。　　7. were → *was*，*or* 連接兩個主詞時，動詞須與最接近的主詞一致。
8. are → *is*，as well as 連接兩個主詞時，動詞與前者一致。　　9. follow → *follows*（詳見 p.500）
10. saw → *dreamed*（or *had*），夢不是看到的，*dream a dream* 是同系動詞與同系受詞。（詳見 p.280）
11. drinks → *smokes*，表示「吸煙」的動詞要用 *smoke*。　　12. bring → *take*「攜帶」；*bring*「帶來」。
13. became → *came*，「*come to* + 原形」表「轉變」。（詳見 p.387）　　14. mention about → *mention*
「提到」是及物動詞。　　15. absented → *absented himself*，absent 是反身動詞，*absent oneself (from)*
「缺席；不在」。　　16. laying → *lying*（詳見 p.295）　　17. did → *made*，*make a mistake*「犯錯」。
18. left from → *left*（or *started from* or *departed from*）「離開（某地）」或改爲 *left for*（or *started for*）
「前往（某地）」，注意句意不同。

練 習 四

請改正下列各題句子中的錯誤。（用最少的字數）

1. I am staying here for five years. （我已經在這裡待了五年。）

2. If it will rain tomorrow, we will not go there.

3. She was ill for a week when the doctor was sent for.

4. I have gone to Taipei.

5. I have come here yesterday.

6. They say that they do not think of going till the winter will set in.

7. I intend to go to Tainan when I shall have gone through this examination.

8. Although it has already been five years since I have come to Taipei to live I have never been taken seriously ill.

9. Suddenly I remembered that I forgot the tickets.

10. It has passed many years since he came here.

11. I want to know if he comes before long.

12. Of these dictionaries one is belonging to me, and the other to a friend of mine.

13. He has been waiting an hour, and so was I.

14. Let us start as soon as he will come back.

15. His brother was ill since last month.

16. You must finish it before you will go out.

【解答】────────────────────────────────────

1. am staying → **have been staying**，*for five years* 在此有「從過去到現在已有五年之久，且仍在繼續中」之意，因此用現在完成進行式。　2. will rain → **rains**，表時間或條件的副詞子句中，未來的動作要用現在式表示。（詳見 p.327）　3. was → **had been**，過去的兩個動作，先發生的用過去完成式。
4. gone → **been**，*have been* 表經驗。　5. have come → **came**，*yesterday* 與過去式連用。　6. will set → **sets**（理由同第 2. 題）　7. shall have gone → **have gone**（詳見 p.341）　8. have come → **came**，*It is* (or *has been*)…*since* + 過去式。（詳見 p.337）　9. forgot → **had forgotten** (or **had forgot**)（理由同第 3. 題）　10. has passed → **is** (or **has been**)，*It is* (or *has been*)…*since*… = *Many years have passed since*…　11. comes → **will come**，名詞子句中的未來式不可用現在式代替。（詳見 p.327）（不可用 *has*）
12. is belonging → **belongs**，*belong* 是表示狀態的動詞，沒有進行式。　13. was → **have**，so have I (*been waiting*…)（或 has been → **was**）　14. will come → **comes**（理由同第 2. 題）　15. was → **has been**　16. will go → **go**（理由同第 2. 題）

練 習 五

請改正下列各題句子中的錯誤。（用最少的字數）

1. He was laughed by everybody present.

2. He was stolen his watch.

3. He is so famous that he is known by everybody.

4. If I studied hard, I should not have failed in this task.

5. If I live to be 150 years old, I cannot learn to speak Japanese.

6. If I was you, I will not do such a thing.

7. "Must I go at once, father?" — "No, you must not. You may go at any time you please."

8. He needs not get up so early in the morning.

9. Bill had ought to listen to you.

10. In half an hour we shall can see the mountain.

11. They woke up at six, and so am I.

12. One ought not waste his youth.

13. It needs hardly be said that time is more precious than money.

14. He works very hard, isn't he?

15. When a boy, he should often go swimming in the river.

【解答】

1. laughed → ***laughed at*** 「嘲笑（某人）」。　　2. stolen → ***robbed of***，rob sb. of sth. 的被動是 sb. be robbed of sth.「某人被搶走某物」，如用 steal 要改成 He had his watch stolen.　　3. by → ***to***，be known to 「為…所熟知」; be known by 「根據…而被知道」。(詳見 p.387)　　4. studied → ***had studied*** (詳見 p.362)　　5. If I live → ***If I were to live***；cannot → ***should not be able to*** (詳見 p.363)　　6. was → ***were***；will → ***would*** (詳見 p.363)　　7. must not → ***need not***，回答 must 的疑問句，否定則用 need not 「沒有必要」。(詳見 p.318)　　8. needs → ***need***，在否定句中是助動詞，不可加 s。　　9. had ought to listen → ***ought to have listened***，ought to 本身即是助動詞，不可再加助動詞；ought to (= should) have + p.p. 表「過去該做而未做的事」。　　10. shall can → ***shall be able to***，助動詞不可重複使用。　　11. am → ***did***　　12. not waste → ***not to waste***，ought to 的否定形為 ought not to (或 oughtn't to)。　　13. needs → ***need*** (理由同第 8. 題)　　14. isn't → ***doesn't***　　15. should → ***would***，表過去不規則的習慣。(詳見 p.309)

練 習 六

請改正下列各題句子中的錯誤。（用最少的字數）

1. He seldom go to the cinema.

2. The teeth of a horse reveals its age.

3. There across the tables lie the canvas for the sail.

4. Just across the street stands big buildings.

5. Mathematics are a difficult subject.

6. The United States of America are a democratic country.

7. Three hundred miles are a great distance.

8. Twenty-four pence are equal to two shillings.

9. After we seated at the table she suddenly began chattering fluently.

10. The distressed is not always unhappy.

11. I wonder what he will have said if he had known the fact.

12. If you did not help me at that time, I must have failed.

13. If I was diligent when I was young, I should have been happier now.

14. Bread and butter are their usual breakfast.

15. All work and no play make Jack a dull boy.

16. Every boy and every girl in my class were glad to see you.

17. One or the other of these fellows have stolen it.

【解答】

1. go → **goes** (or **went**)　　2. reveals → **reveal**，主詞 *teeth* 為 *tooth* 的複數形。　　3. lie → **lies** (or **lay**)，*lie* 的主詞為 *the canvas*「帆；帆布」（單數）。　　4. stands → **stand** (or **stood**)，主詞 *big buildings* 為複數。　　5. are → **is**，字尾為 -*ics* 的學術名詞，是屬於抽象名詞，是單數意義，故用單數動詞。　　6. are → **is**，國家名稱是單數意義。（詳見 p.393）　　7. are → **is**（詳見 p.394）

8. are → **is**（詳見 p.394）　　9. we seated → **we were seated** (or **we seated ourselves**)。（詳見 p.294）

10. is → **are**，*the distressed = those who are distressed*　　11. will → **would**（詳見 p.362）

12. did not help → **had not helped**（詳見 p.319）　　13. was → **had been**；should have been → **should be**（詳見 p.364）　　14. are → **is**，*bread and butter* 應視為兩個不可分的東西，注意其發音 ('brɛdņ'bʌtɚ)。　　15. make → **makes**（詳見 p.398）　　16. were → **was**（詳見 p.399）

17. have → **has**（詳見 p.399）

練 習 七

請改正下列各題句子中的錯誤。（用最少的字數）

1. Either you or John have made the mistake.

2. Neither her sisters nor her mother were present.

3. He will be forget before the end of this century.

4. The book, together with some flowers, were on the table.

5. Not I but he have been invited.

6. I, not you, were in the wrong.

7. Each of their friends have their own house.

8. Neither of them are in the room.

9. The most of us are flattered when we receive a compliment.

10. Part of the audience sleeps throughout his lecture.

11. A number of sailors was seen on the deck.

12. The number of men employed were very great.

13. Many a man have made the same mistake.

14. I am interesting in hearing that funny story.

15. This umbrella is belonged to me now.

16. When one enters into the town, one sees big crowds.

17. I surprised at his success.

18. I could not attend to school because of illness.

【解答】

1. have → **has**，「either A or B」動詞與最接近的主詞一致。　　2. were → **was**，「neither A nor B」動詞與最接近的主詞一致。　　3. will be forget → **will be forgotten**　　4. were → **was**，「A, together with B」之意為「A 和 B 一起」，因為重點在 A，所以動詞與 A 一致。　　5. have → **has**（詳見 p.402）

6. were → **was**（詳見 p.402）　　7. have → **has**；their → **his**（詳見 p.395）　　8. are → **is**（詳見 p.395）

9. The most → **Most**，most 作「大部分」解時，沒有冠詞。　　10. sleeps → **sleep**（or **slept**），此句的 audience 是指「組成份子」，本身為複數形。（詳見 p.53, 394）　　11. was → **were**，a number of = several

12. were → **was**，the number of 之意為「…的數目」，主詞是 number。　　13. have → **has**，「many a + 單數名詞」，須接單數動詞。　　14. am interesting → **am interested**（詳見 p.390）　　15. is belonged → **belongs**，belong 為不及物動詞，所以沒有被動態。　　16. enters into → **enters**，enter 為及物動詞。

17. surprised → **am**（or **was**）**surprised**（詳見 p.390）　　18. attend to → **attend**，attend (v.t.)「出席；上（學）」，attend to「注意；用心；照顧」。

練 習 八

請改正下列各題句子中的錯誤。（用最少的字數）

1. I have been waiting you for a long time.

2. He started Taipei and arrived Tainan.

3. You must reply my letter by return of post.

4. This expedition greatly added his store of knowledge.

5. Some prefered aristocracy, others what they called a mixed constitution.

6. It has been realized that his genius was by no means limitted to painting.

7. He studied painting under several masters.

8. Jumping into the sea, I swimmed back to the shore.

9. A cry of horror bursted forth from the crowd.

10. It must be born in mind that good will does not always bear good fruit.

11. Washinton fell down his father's cherry tree.

12. The horse had fell down and broke its knees.

13. This story is not a mere fiction, but found on fact.

14. The prisoner was sentenced to be hung.

15. He was so tired that he laid down on the bed.

16. I have lain the books on the table.

17. Everything I see and everything I hear interest me.

18. Tomorrow I leave England. You never see me again.

【解答】

1. waiting you → **waiting for you** (or **awaiting you**)，有些不及物動詞接介系詞，可作及物動詞用。

2. started → **started from** (or **left**)；arrived → **arrived at** (or **reached**)　　3. reply → **reply to** (or **answer**)　　4. added → **added to** (or **increased**)　　5. prefered → **preferred** (詳見 p.286)

6. limitted → **limited** (詳見 p.286)　　7. studyed → **studied**，字尾為「子音 + y」的動詞，將 y 改為 i 再加 ed。　　8. swimmed → **swam**　　9. bursted → **burst**　　10. born → **borne**，born (borne) 作「出生；結果」解，borne 作「忍受；負荷」解。(詳見 p.296)　　11. fell down → **felled** (詳見 p.295)

12. had fell → **fell**，and 連接兩個過去式動詞，表示過去連續兩個動作。　　13. found → **founded**，be founded on「基於」。　　14. hung → **hanged** (詳見 p.296)　　15. laid → **lay** (詳見 p.295)

16. lain → **laid** (詳見 p.295)　　17. interest → **interests** (詳見 p.399)　　18. You never see → **You will never see**，go, come, start, leave 等來去動詞，可以用現在式代替未來式，並且常附有表未來的副詞，此句有 tomorrow 所以 I leave 正確。

練 習 九

請改正下列各題句子中的錯誤。（用最少的字數）

1. I do not read the book yet.

2. He was ill since last Sunday.

3. I did not see him for five years.

4. He has suffered from influenza for two weeks.

5. I have caught a bad cold and have a severe headache yesterday.

6. "When have you returned?" "I have come back yesterday."

7. I have written it just now.

8. You need not to have been afraid of that dog of mine.

9. How dare you to say such a thing to my face?

10. I will lend you the book when I shall have done with it.

11. Please let me have a look at the paper if you will have done with it.

12. I have done my work before you came in.

13. He knew the pond well, for he has been there three times.

14. The first question having answered, the second must now be answered.

15. It's high time you children went to bed.

【解答】

1. do not read → **have not read**，yet 常和現在完成式連用。（詳見 p.335） 2. was ill → **has been ill**，現在完成式常和 for…, since… 連用，表過去持續到現在的狀態。 3. did not see → **have not seen**（理由同第 2 題） 4. has suffered → **has been suffering**（詳見 p.349） 5. and have → **and had**，yesterday 和過去式連用。 6. have you returned → **did you return**；have come back → **came back**，現在完成式不與疑問副詞 when 連用。（詳見 p.336） 7. have written → **wrote**，在此 just now 之意爲 a moment ago，和過去式連用。 8. need not to have → **need not have**，以「need not have + p.p.」表示過去不必做而已做的事。 9. to say → **say**，How dare you + 原形 V…? 並不是眞正的疑問句，而是對所做的事表示「憤怒；譴責」之意。 10. shall have done → **have done**

11. will have done → **have done** 12. have done → **had done**，以過去完成式表示在過去某時之前完成的動作。 13. has been → **had been**，以過去完成式表示過去某時已有過的經驗。 14. having answered → **having been answered**。 15. 無誤。（詳見 p.374）

練 習 十

請改正下列各題句子中的錯誤。（用最少的字數）

1. Why don't you sympathize him?

2. Whose is the book laying over there?

3. This time tomorrow the workmen are repairing the house.

4. What was you doing all yesterday morning?

5. He didn't need to have worked late last night.

6. You must make an end to such foolishness.

7. What is the name of the park that Helen's apartment looks down upon?

8. These shoes will be worn long.

9. The prices of commodities has gone up for a few weeks.

10. I really don't know how to do.

11. He was recovered from his health.

12. He suggested me that we will go on a picnic.

13. The dish tasted paint.

14. Jack has died for three years.

15. I am sorry that I might have laughed at his mistakes.

16. We were working for the last three hours.

【解答】

1. sympathize → *sympathize with*「同情」，不及物動詞不能直接加受詞。 2. laying → *lying*（詳見 p.295） 3. are → *will be*，表未來某時將要進行的動作，用未來進行式。（詳見 p.348） 4. was → *were*，主詞是 *you*。 5. didn't need to → *needn't*（或 have worked → *work*）（詳見 p.322） 6. make → *put*，*put an end*（or *a stop*）*to*「終止；使…停止」。 7. down → *out*，*look out upon*（or *on*）「（房子）瀕臨；面對」。 8. be worn → *wear*（v.i.）「耐用；耐久」。（詳見 p.388） 9. has → *have*，主詞 *The prices* 是複數。 10. how → *what*（或 to do → *to do it*）；*do* 是 v.t. 須有受詞，*how* 是疑問副詞，沒有代名作用。 11. was recovered from → *recovered*（or *has recovered*），*recover* + 物、狀態（*one's strength, health*）「恢復某狀態；尋回某物」；*recover from* + 病、異常狀態（*one's illness, one's fright*）「從病（異常狀態）中恢復」。 12. me → *to me*，will go → *go*（or *should go*），suggest to 人 *that*… + (*should*) + 原形 V，屬慾望動詞句型。（詳見 p.372） 13. tasted → *tasted of*（or *tasted like*），*taste of* + 名詞 = *taste* + 形容詞「有…的味道」。 14. died → *been dead*，*die* 是指一時性的動作，不能用完成式表「繼續」的概念。（詳見 p.336） 15. might → *should*「居然；竟然」，在此表主觀的意見、情緒，而不是敘述事實，故用假設法。（詳見 p.312, 375） 16. were working → *have worked*，由 *for the last three hours* 得知其動作持續到現在，故用現在完成式。（詳見 p.335）

練 習 十一

請改正下列各題句子中的錯誤。（用最少的字數）

1. Do you tell grace before meals?

2. A taxi can sit four persons.

3. There was little traffic, so we kept good time on our way home.

4. Newspaper accounts of international affairs sometimes distort.

5. They are still deliberated over the question.

6. Two-thirds of the house were burnt down.

7. A careless step will no doubt take your life.

8. After I finish my work, the best thing for me to do is to make a bath.

9. The columns of the gate are put with marble.

10. Do we suppose to speak English in this class?

11. Were not you ever taught how to behave?

12. That room is measured five feet wide and ten feet long.

13. The scissors is sharp.

14. The class is numbering 50 in all.

15. Up to that time, that boy has been standing with me.

16. Are you the type of person who keep his head in an emergency?

17. He put the car in reverse and back up.

【解答】

1. tell → *say*，*say grace*「（進餐前）祈禱」。　　2. sit → *seat*「使…就座；可容納…人」（詳見 p.294）
3. kept → *made*，*make (good) time*「走得順利；走得快」，*keep good time*「（鐘錶）準確」。
4. sometimes distort → *are sometimes distorted*，*distort* (v.t.)「曲解；扭曲」，及物動詞，非人做主詞時，該用被動式，*distorted* 亦可視同形容詞，作「曲解的；扭曲的」解，當主詞補語。　　5. deliberated → *deliberating*「慎重考慮」。根據句意該用現在進行式。　　6. were → *was*（或 house → *houses*）（詳見 p.394, 395）　　7. take → *cost*（詳見 p.299）　　8. make → *take* (or *have*)；*take* (or *have*) *a bath* = *bathe*「洗澡」。　　9. put → *set*，*set sth. with*…（= *sth. be set with*…）「鑲嵌某物於…」。　　10. Do we suppose → *Are we supposed*，*be supposed to* + 原形 V「應該；被期望」。　　11. Were not you → *Weren't you* (or *Were you not*)，否定詞 *not* 在疑問句中可與 *be* 或助動詞結合，或置於主詞之後。
12. is measured → *measures*，在此是 v.i.「有…長（寬、高）」，必須帶有副詞性受詞。　　13. is → *are*，*scissors*「剪刀」當主詞，用複數動詞，本句譯為「這把剪刀很銳利。」　　14. is numbering → *numbers*，表衡量之動詞無進行式（詳見p.345），*the class* 在此指一個集合整體，故用單數動詞。
15. has → *had*（詳見 p.349）　　16. keep → *keeps*，形容詞子句動詞須與先行詞一致。　　17. back → *backed*，*and* 連接兩個過去式動詞，表示過去連續的兩個動作。

練 習 十二

請根據句意和文法選出一個最正確的答案。

1. In the center of Florence _____ a little eight-sided church, to which the babies of the city were brought to be baptized.

   (A) built   (B) had built   (C) was built   (D) ×

2. We elected Peter our classleader for this semester and the instructor said we had _____ a very good choice.

   (A) made   (B) done   (C) taken   (D) given

3. Some councilors moved that new duties _____ on imported goods.

   (A) was imposed   (B) impose   (C) imposed   (D) be imposed

4. A man used to hard work wouldn't feel the stress so keenly as one who _____ not.

   (A) would   (B) is   (C) did   (D) does

5. If I had had enough money, I would have paid what I _____ him.

   (A) owed   (B) owe to   (C) had owed   (D) had owed to

6. The magnificent sunrise was _____ before the climbers.

   (A) lying out   (B) lain out   (C) lay out   (D) laid out

7. The ship _____ on the rocks.

   (A) lie strand   (B) lain stranded   (C) lay stranded   (D) lied stranding

8. Students are _____ not to smoke, under pain of severe punishment.

   (A) enjoined   (B) enjoyed   (C) entrusted   (D) entrapped

9. At last a crew of 88 men in all _____ found, and the three ships set sail on August 3rd, 1492.

   (A) was   (B) were   (C) had been   (D) got

【解答】

1. (C)，主詞是 church，用被動表「被建造」。   2. (A)，make a very good choice「做了非常好的選擇」。   3. (D)，moved「提出動議」是慾望動詞，用假設法。(詳見 p.372)   impose A on B (= A be imposed on B)「向 B 課徵 A (稅、罰金)」。   4. (B)，A man (who is) used to hard work wouldn't …one who is not (used to)。   5. (A)，本句屬與過去事實相反的假設，但名詞子句 what I owed him 則是過去的事實，故用直述句。(詳見 p.364)   6. (D)，*lay out*「呈現；出現」。   7. (C)，lay 在此 是 lie 的過去式，過去分詞 stranded「被擱淺；觸礁的」做主詞補語。(詳見 p.295)   8. (A)，enjoin (v.t.)「下命令」，entrust (v.t.)「委託」，entrap (v.t.)「誘騙」。   9. (A)，主詞 a crew (集合名詞)，在 此表一個整體，用單數動詞，且兩個過去的動作，按順序先後用 and 連接，則都用過去式。(詳見 p.338)

練 習 十三

請改正下列各題句子中的錯誤。（用最少的字數）

1. At last, he released me, brushing my coat and handed me my hat.

2. Make sure you are devoted most of your time to things you really care about.

3. The cashier said him that the manager would like to see him.

4. Let it is ever so humble, there is no place like home.

5. What is the thermometer read?

6. My cheeks were felt burning hot.

7. The factory situate by the side of the river.

8. Gone are the days when my heart are young and gay.

9. I robbed of my money.

10. A baby girl was borne to him.

11. Carelessness in driving may be cost your life.

12. The river wounds through the valley.

13. He is sound a trumpet.

14. These natives inhabited in a part of the island.

【解答】

1. brushing → **brushed**，三個過去式動詞由 and 連接，表示過去三個連續的動作。　　2. are devoted → **devote**，devote…to～「把（時間、精力、…）獻給（工作、研究…）」，devote oneself to = be devoted to，to 都是介詞。　　3. said → **said to** (or **told**)，would like = want(ed)　　4. is → **be**，Let it be…是表讓步的副詞子句。（詳見 p.360, 530）　　5. is → **does**，read 在此是 v.t. 指「（儀表）表示；指示」的意思，what 是它的受詞。　　6. were felt → **felt** (or **were**)，feel + 形容詞（或副詞）意思為「覺得…；有…感覺」時，常作為 be 的代用字。　　7. situate → **is situated**，表位置、地點的動詞 stand (or lie, sit) + 介詞 = be situated (or located, sited, placed) + 介詞「坐落於…；位在…」。　　8. are young → **was young**，由主要子句 The days are gone…得知，形容詞子句的時間是過去，故用過去式。（詳見 p.355）　　9. robbed of → **was robbed of**「被搶走…」。rob sb. of sth. = sb. be robbed of sth.　　10. borne → **born**（詳見 p.296）　　11. be cost → **cost you**，沒有被動式，且須以事物做主詞。　　12. wounds → **winds** (or **wound**)，指「蜿蜒；曲折」。（詳見 p.297）　　13. is sound → **sounds** (or **is sounding**)，簡單式及進行式皆可，sound (or blow) a trumpet「吹喇叭」。　　14. in → 刪掉，inhabit (v.t.)「居住於」= live in，直接加受詞。

練 習 十四

請改正下列各題句子中的錯誤。（用最少的字數）

1. I have known him for many years before he went into business.

2. I was waiting an hour when she appeared.

3. You hardly left the house when the doorbell rang.

4. I lent him the book I bought the day before.

5. I told my employer that I left my tools at home.

6. As he is having a good constitution, he will pass the physical examination.

7. Where is your house standing?

8. He said last Monday that he met her yesterday.

9. "What are you seeing?" "I am seeing a picture."

10. Three-fourths of the earth's surface are water.

11. He said to me that I may go if I liked.

12. I may read the book, but I hardly remember I have.

13. He always bring me something when he will come.

14. I am knowing that it was done by him.

【解答】

1. have known → **had known**，表示某事持續到過去某時，要用過去完成式。　2. was waiting → **had been waiting**　3. hardly left → **had hardly left**（詳見 p.340）　4. I bought → **I had bought**（詳見 p.338）　5. left → **had left**　6. is having → **has**，have 當「有」解時，沒有進行式。（詳見 p.343）　7. is your house standing → **does your house stand**，stand 意思為「位於；在…的地方」時，表示狀態，沒有進行式。如果表示動作時，就有進行式，例如 A man is standing in the garden.　8. met → **had met**；yesterday → **the day before**，直接敘述的過去式以及現在完成式，改為間接敘述時，要變為過去完成式。　9. seeing → **looking at**；seeing → **looking at**，see 是表示知覺的動詞，不可用進行式表示，而 look 是表示動作的動詞，可以使用進行式表示。（參照 p.346）　10. are → **is**，名詞為單數則動詞亦以單數表示。　11. may → **might**，為表時式的一致，而使用過去式 might，通常 might 只在從屬子句與假設法中才有表過去的功用。　12. may read → **may have read**，「may have＋過去分詞」表示對過去的推測「可能已…」，I might read 則為假設語氣。　13. bring → **brings**；will come → **comes**，表現在習慣的動作要用現在式。　14. am knowing → **know** 是表狀態的動詞，不可用進行式。
（詳見 p.344）

練 習 十五

請根據句意和文法選出一個最正確的答案。

1. The Welsh, the Scots and the Irish dislike _____ English, even if they live in England.
   (A) to call　　　　(B) to have called　　(C) calling　　　　(D) being called

2. If there is a fire extinguisher in your home, _____ you are familiar with the directions for using it.
   (A) to be sure　　(B) for sure　　　　(C) be sure　　　　(D) surely that

3. You can telephone me every few days, and in that way we can _____ in touch with each other.
   (A) keep　　　　(B) make　　　　　(C) take　　　　　(D) put

4. The mystery of faraway places _____ his imagination.
   (A) arose　　　　(B) rose　　　　　(C) roused　　　　(D) raised

5. In a dead pine tree on my land _____ several holes.
   (A) are　　　　　(B) is　　　　　　(C) have　　　　　(D) has

6. The painting _____ to his uncle has been sold at a high price.
   (A) that belonged　(B) belonged　　　(C) which was belonged　(D) that belonging

7. Come what may, your kind consideration will be greatly _____.
   (A) appreciating　(B) appreciation　　(C) appreciative　　(D) appreciated

8. A fire _____ in our neighborhood last night.
   (A) break out　　(B) broke out　　　(C) brought about　　(D) was broken out

9. That fierce dog _____ the leg.
   (A) bit me at　　(B) bit at me by　　(C) bit me in　　　(D) bitten me in

【解答】

1. (D)，*dislike* + ~*ing*「不喜歡…」，依句意，用被動式 being called「被叫作…」。　　2. (C)，祈使句省略主詞 you，且用原形動詞（詳見 p.358），(A) → it is wise to be sure。　　3. (A)，*keep in touch with*「與…保持連繫」。　　4. (C)，rouse (v.t.)「激起」。（詳見 p.295）　　5. (A)，主詞 holes（複數），如用 have 全句須改寫成 Dead pine trees on my land *have* several holes.　　6. (A)，belong (v.i.) 無被動。　　7. (D)，appreciate (v.t.)「欣賞；感激」，及物動詞，非人做主詞時，該用被動。

8. (B)，*break out*（= *happen*）v.i.「發生」，不及物動詞無被動；*bring about*（= *result in*）v.t.「導致；造成」。　　9. (C)，*bite* sb. *in the leg*「咬某人的腿」。（參照 p.277）

【附錄 —— 世紀文法大講座】

(　　) 1. If you _____ in a difficult situation, you had better not be too nervous. 【秀峰高中・帥宗婷・小考試題】
   (A) had caught
   (B) are catching
   (C) will catch
   (D) are caught

【答案】　**D**【詳見 p.356】本句是直說法，不是假設法，可依句意用任何時態。

【解說】　英文表達思想的方式有三種：

①直說法：12 種時態。
②假設法：3 種時態。
③命令句：1 種時態。

$$\text{If} + \text{S} + \text{V}\cdots, \text{S} + \begin{cases} \text{shall} \\ \text{will} \end{cases} + \text{V}_{原}$$ 【是直說法的未來式，非假設語氣】

If you are right, | I am wrong.【直說法的現在式】
（如果你是對的，我就錯。）

If I said that, | I was mistaken.【直說法的過去式】
（如果我說過那件事，我就錯。）

※ **should, would, could, might** 為假設法的記號，例如：

If the weather is fine, you *should* go.（如果天氣很好，你應該去。）
You *should* go.（你應該去。）【假設法的現在式或未來式】

If I were you, I wouldn't have gone <u>yesterday</u>.【正】
（如果我是你，我昨天就不會去了。）
If I were you, I would go <u>now</u>.（如果我是你，我現在就會去。）
If I were you, I would go <u>tomorrow</u>.（如果我是你，我明天會去。）

If you are right,
I was wrong.【正】
I am wrong.【正】
I will be wrong.【正】
I have been wrong.【正】
【只要句意對，可用任何時態】

had better + 原形 V（最好⋯）　表「間接命令」

had better not + 原形 V（最好不要⋯）　表「間接命令」
= hadn't better + 原形 V　表「間接命令」
≠ had not better + 原形 V【誤】

* *be caught in* 遭遇到

（　　）2. I wish I _____ there last night, but I was so busy then.

    (A) can   (B) be   【師大附中・詹舒涵】

    (C) could be   (D) could have been

【答案】 **D**【詳見 p.368】假設法表「能夠」時，可加上 could。

【解說】

I wish
$\begin{cases} \text{I \underline{could be} there tomorrow.【假設法的未來式】} \\ \text{I \underline{were} there now.【假設法的現在式】} \\ \text{I \underline{had been} there yesterday.【假設法的過去式】} \end{cases}$

I wish I <u>could be</u> there now. <u>能夠在</u>【假設法的現在式】

I wish I <u>could have been</u> there yesterday. <u>能夠在</u>【假設法的過去式】

（　　）3. If only you _____ me last night! 【建國中學・陳建廷・三民版 第一冊 L8–39】

    (A) had called   (B) called

    (C) have called   (D) would call

【答案】 **A**【詳見 p.370】

【解說】
$\left.\begin{array}{l} \begin{cases} \text{If} \\ \text{= If only} \end{cases} \\ \begin{cases} \text{= Would (that)} \\ \text{= Would to God (that)} \end{cases} \\ \begin{cases} \text{= O that} \\ \text{= Oh, that} \end{cases} \\ \quad \text{= I wish} \end{array}\right\} + \text{S} + \text{V}_{假} + !$

（　　）4. _____ that I hadn't made the mistake! 【建國中學・蘇士銓】

    (A) If only   (B) If

    (C) Would   (D) Hope

【答案】 **C** （理由同第 3 題）【詳見 p.370】

（　　）5. _____ that I could fly like a bird! 【景美女中・李婕・考古題】

    (A) Should   (B) Could

    (C) Were   (D) Would

【答案】 **D** （理由同第 3 題）【詳見 p.370】

(　　) 6. Everything is made ＿＿＿＿ by time.【成功高中‧張朝鈞‧平時考試題】

(A) different　　　　　(B) be different

(C) differently　　　　(D) to have differences

【答案】 **A**【詳見 p.381】

【解說】 主詞 + 動詞 + 受詞 / 補語

Time makes everything different.
　S　　vt.　　O　　　OC

= Everything is made different by time. 被動句
　S　　V　　SC

當受詞變成主詞，受詞補語就變成主詞補語。

be made
be called　＋ 主補
be chosen

(　　) 7. At last, the suspect proved himself ＿＿＿＿.

【建國中學‧陳建廷‧週考試題】

(A) innocent　　　　　(B) innocently

(C) innocence　　　　 (D) being innocent

【答案】 **A**【詳見 p.278】

【解說】 He proved himself (to be) innocent.
　　　　S　V　　O　　　　OC

(　　) 8. It was a pity that the millionaire went broke and died ＿＿＿＿ in the end.【成功高中‧張朝鈞‧平時考試題】

(A) poorly　　　　　(B) poor

(C) poorness　　　　(D) poverty

【答案】 **B**【詳見 p.191】

【解說】 本句是一個省略用法。

die poor　死時窮困　　　Old habits die hard. (積習難改。)

die young　死時年輕　　 Whom the gods love die young. (好人不長壽。)

die happy　死時快樂　　 Those whom

die rich　死時富有　　　He died poorly. (他死於非命。)

　　　　　　　　　　　= He died in a bad way.

　　　　　　　　　　　He died poor. = He was poor when he died.

(D) → in poverty　　　　* millionaire〔ˏmɪljənˈɛr〕n. 百萬富翁

(　　) 9. Don't _____ what he said seriously.　He was just teasing you.【基隆女中・李文秀・家齊中學期中考試題】

    (A) make　 (B) think

    (C) give　 (D) take

【答案】 **D**

【解說】　take *sth.* seriously　認真看待某事

    Don't take it too seriously.（不要把它看得太認真。）

    Don't take me wrong.（不要誤會我。）

    = Don't get me wrong.

    (B) → Don't think | what he said was serious. |（不要認為他說的話是認真的。）
                    S   V   SC

    * tease〔tiz〕*v.* 戲弄；嘲弄

(　　) 10. To get into a good college is like _____.【王慶銘老師】

    (A) a dream becoming true　 (B) a dream has come true

    (C) a dream come true　 (D) a dream to come true

【答案】 **C**

【解說】　a dream come true　夢想成真【慣用語，名詞片語】

    = a dream | that comes true |

    = a dream coming true

(　　) 11. _____ Mary is going to the U.S. next week is quite true.【景美女中・李婕・小考試題】

    (A) It　 (B) That

    (C) This　 (D) What

【答案】 **B**【詳見 p.479】

【解說】　| That Mary…next week | is…

    = It is quite true | that Mary…next week. |

(　　) 12. The salesperson showed me _____ operate this machine.
【中正高中・潘奕涵・第一次期中考試題】

(A) what to　　　　　　　　(B) how I could

(C) how I to　　　　　　　　(D) if I could

【答案】　**B**【詳見 p.241】

【解説】　showed me <u>how I could</u> <u>operate</u>
　　　　　　　　　　間　　　　　　直

(A)(C) → = how to operate　　　* salesperson〔'selz,pɝsn〕 n. 店員；售貨員

　　　　　　　　　　　　　　　　　　(= salesman / saleswoman)

(D) → asked me <u>if I could</u>　　　show〔ʃo〕 v. 給…看
　　　　　　　　　間　　直

ask
see
wonder ⎬ + if
doubt 　 ‖
know 　 whether

∴ 懷疑動詞

(　　) 13. On the bus I saw a student _____ I thought was your brother.
【中和高中・沈志豪・週考試題問 A 爲何不行？】

(A) whom　　　　　　　　　(B) who

(C) what　　　　　　　　　(D) whose

【答案】　**B**【詳見 p.163】

【解説】　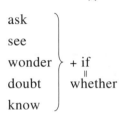

主格關代 + S +
⎧ think
⎪ believe
⎨ imagine ⎬ + 動詞
⎪ guess
⎩ suppose
看法動詞

(　　) 14. ＿＿＿＿＿ is right today may be wrong tomorrow.【景美女中·李婕·小考試題】

(A) It 　　　　　　　　　(B) That

(C) This 　　　　　　　　(D) What

【答案】　D【詳見 p.156】

【解説】　複合關代

$\boxed{\text{What is right today}}$ may be…
∥
That which
∥
The thing that

(　　) 15. ＿＿＿＿＿ buys this book will never feel regret.【板橋高中·駱明儀】

(A) Those 　　　　　　　　(B) Anyone which

(C) Whom 　　　　　　　　(D) Whoever

【答案】　D【詳見 p.156】

【解説】　$\boxed{\text{Whoever buys this book}}$ will…

= Anyone $\boxed{\text{who buys}}$… will…

feel regret　感覺後悔
　vt.　　n.

= feel regretful
　　vi.　　adj.

(　　) 16. I will give the money to ＿＿＿＿＿ needs it.【三民高中·劉怡彤·期中考試題】

(A) whom 　　　　　　　　(B) who

(C) whomever 　　　　　　(D) whoever

【答案】　D【詳見 p.156】

【解説】　…to $\boxed{\text{whoever needs it.}}$
　　　　介　∥ S　V　O
　　　　　anyone $\boxed{\text{who needs it}}$

(C) → I will give the money to $\boxed{\text{whomever the teacher chooses.}}$
　　　　　　　　　　　　　　介　　∥
　　　　　　　　　　　　anyone whom

(　　) 17. Mr. White had three sons, _____ went abroad for advanced

studies.【百齡高中・游凱雯】

(A) all of that

(B) all of who

(C) all of them

(D) all of whom

【答案】 D【詳見 p.151】

【解說】 three sons, all of whom went⋯

S　介　　　　V

= ⋯, and all of them went⋯

all of who went abroad⋯

(　　) 18. This lesson is good for those of you _____ problems in

reading.【百齡高中・游凱雯】

(A) who has

(B) with

(C) have

(D) that having

【答案】 B【詳見 p.606】

【解說】 for those of you who have problems in reading

that

= having problems in reading

= with problems in reading

with = having　有　　a man with ideas　有思想的人

※of 的用法：

①同位關係：the city of Taipei = Taipei City

②部分關係：the legs of the table

(　　) 19. There is no book _____ has some faults.【永春高中・崔芳瑜】

(A) that

(B) which

(C) but

(D) what

【答案】 C【詳見 p.160】

【解說】 no book but has⋯

= no book that does not have⋯

( ) 20. A: It is said that you went to the U.S. last year.

    B: _____. 【建國中學・李晨瑋】

    (A) So did I   (B) So I did

    (C) So I was   (D) So was I

【答案】 B 【詳見 p.643】

【解説】
$$\begin{cases} \text{So I did.} \\ = \text{Yes, I did.} \ (確實是。) \end{cases}$$

A: I went to the U.S.

B:
$$\begin{cases} \text{So did I.} \\ = \text{As did I.} \ (我也是。) \\ \quad\ \text{Also} \end{cases} \begin{cases} = \text{I did too.} \\ = \text{Me too.} \qquad \text{I too.} 【誤】 \\ = \text{I went too.} \end{cases}$$

( ) 21. John is not such a man _____ would kill a man.

    (A) that   (B) as 【永春高中・崔芳瑜】

    (C) who   (D) whom

【答案】 B 【詳見 p.159】

【解説】 John is not such a man | as would kill a man. |

John is not a man | who… |

前有 as, such, the same 用 as

( ) 22. Do you have the same bread _____ he has? 【永春高中・崔芳瑜】

    (A) that   (B) as

    (C) which   (D) what

【答案】 B 【詳見 p.159】

【解説】 the same…as 和～同樣【同類】

the same…that 和～一樣【同一個】

Don't make the same mistakes _____ I did.

(A) as   (B) that

Ans: (A)(B) 抽象例外

(　　) 23. There is no one on earth _____ make mistakes. 【南湖高中・張有全・月考試題】

    (A) but   (B) that

    (C) that doesn't   (D) that don't

【答案】　**C**【詳見 p.160】

【解説】

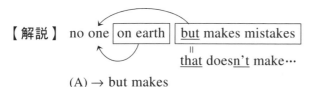

no one | on earth | but makes mistakes
                  ‖
               that doesn't make⋯

    (A) → but makes

(　　) 24. After the terrible accident, he expects nothing but _____. 【建國中學・張翰文・第一次段考試題】

    (A) to live   (B) to living

    (C) live   (D) living

【答案】　**A**【詳見 p.132】

【解説】

do | nothing but | + 原形
助   ‖
      only

expect | nothing but | + to + 原形
V   ‖
       only

(　　) 25. They have busy lives but they still _____ for each other. 【延平高中・張丰毓・段考試題】

    (A) make time   (B) waste time

    (C) spend time   (D) use time

【答案】　**A**

【解説】 make time for 為～找時間 (= find time for)

make (good) time 高速前進 (= travel fast)

have a good time 玩得愉快

(B) → waste time on each other

(C) → spend time with each other
                   ‖
             together with

(　　) 26. The old man has two daughters who are not yet married. How many daughters does the old man have?【大學聯考題】

(A) Two.　　　　　　　　　(B) Three.

(C) At least two.　　　　　(D) At least three.

【答案】　**D**【詳見 p.161】

【解說】　形容詞子句有二種：

①限定用法

②補述用法：有 "," ，不可用 that 。

The old man has two daughters 〔who are not yet married.〕【限定用法】

【有至少三個女兒】

, who…【補述用法】【有兩個女兒】

= , and they are not yet…【有兩個女兒】

My father, who is now in Tainan, will come back soon.【該用補述用法】

= My father will come back soon, and he is now in Tainan.

(　　) 27. All I did was ＿＿＿＿ the window and it broke.【中正高中・黃郁雅・平時考試題】

(A) touch　　　　　　　　(B) touched

(C) touching　　　　　　(D) touches

【答案】　**A**【詳見 p.648】

【解說】　All 〔I did〕 was (to) touch…

　　　　　 S　　　 V

all (what, the only thing, the best, the first thing 等) + one has to do is (was) 時，is (was) 之後的不定詞 to 可有可無。

(　　) 28. Mary gave ＿＿＿＿ her seat to an old lady in the room.

(A) up　　　　　　　　　(B) out　　　　【建國中學・王鼎鈞】

(C) off　　　　　　　　　(D) in

【答案】　**A**

【解說】　give up　放棄；讓出

give up *one's* seat to　讓位給（站起來）

= give *one's* seat to

make room for　擠出空位給（挪一挪）

= make space available for

（　　）29. I won't get angry. _____ you are sincere and honest.

【中和高中・楊凱琪・北一女期末考試題】

(A) Not if　　　　　　　　　(B) Even if

(C) Though　　　　　　　　　(D) Unless

【答案】 **A**【詳見 p.646】

【解說】 not 是指示代名詞，代替否定子句，so 代替肯定子句。

I'm afraid not.

I think so.

Not = I won't get angry

(B) → , even if【句意錯】

(C) → , though

（　　）30. _____ I am happy, my parents don't care what I work at.

【板橋高中・高珈琳・第一次期中考試題】

(A) As soon as　　　　　　　(B) Once

(C) As long as　　　　　　　(D) Upon

【答案】 **C**【詳見 p.520】

【解說】 as long as　只要

= so long as

= if

(B) once　一旦【句意錯】

what I work at

= where I work

= what I do

= what kind of job I have

（　　）31. _____ you like it so much, why don't you buy it?

【建國中學・李晨瑋・小考試題】

(A) Seeing as that　　　　　(B) Since that

(C) Considered　　　　　　　(D) Seeing that

【答案】 **D**【詳見 p.510】

【解說】
seeing (that)　因為；既然（表原因的 *conj.*）
= considering (that)
= now (that)

= since
= when

( ) 32. _____ a few things to the audience, the manager left me on the stage alone. 【景美女中・王又淳・第二次期中考試題】

(A) Explained   (B) To explain

(C) Having explained   (D) Had explained

【答案】 C【詳見 p.458】

【解說】 副詞子句 → 分詞構句：

①去連接詞

②去主詞

③ V → V-ing

④ being 或 having been 常省略

After he had explained…

= Having explained…

( ) 33. Try _____ I may, I can never explain how I feel about you.
【北一女中・張容恒・週考試題】

(A) as   (B) although

(C) much   (D) hard

【答案】 A【詳見 p.634】

【解說】 V + as + S + 助 V，表讓步

Try as I may

= Try though I may（不可用 although）

= Try that I may

= Although I may try

( ) 34. My homework _____, I went to the movies. 【育成高中・柯伊庭・突破高中句型文法總整理】

(A) having finished   (B) finished

(C) to have finished   (D) to have been finished

【答案】 B【詳見 p.462】

【解說】 After my homework had been finished,…

= My homework (having been) finished,…

(　　) 35. He is sleeping with his eyes _____. 【陳子璇老師】

   (A) closing   (B) closed

   (C) be closing   (D) are closed

【答案】 B【詳見 p.462】

【解說】

| with / without ＋受詞＋分詞 | 表「伴隨著主要動詞的情況」 |

I can't see with you standing there.

He is sleeping with his eyes closed.

 vt.：人當主詞用主動

   非人當主詞用被動（不可說物，因為手腳非物）

(　　) 36. He is looking at me with his eyes _____. 【陳子璇老師】

   (A) shined   (B) shining

   (C) shinning   (D) being shined

【答案】 B【詳見 p.462】

【解說】 He is looking at me with his eyes shining.

          vi. 沒有被動

重覆子音的原則：

① run → running（單母音＋單子音，重覆子音）

② omit → omitting（①二音節字 ②重音在第二音節，重覆子音）

(　　) 37. _____ prices so high, I'll have to do without a new suit.

   【中山女中‧李安倫】

   (A) With   (B) Because

   (C) Because of   (D) As

【答案】 A【詳見 p.462】

【解說】 with prices so high 表「伴隨」

  = with prices (being) so high

  (B) → Because prices are so high

  (C) → Because of high prices   (D) → As prices are so high

  * *do without* 沒有～也行

(   ) 38. _____ spring coming, all the flowers are in full blossom.

【建國中學・丁柏元】

(A) In   (B) On

(C) With   (D) By

【答案】 C【詳見 p.462】

【解說】 With spring coming   表「伴隨」

(A) → In spring,

        = In springtime,

(B) → On the coming of spring

      With

(D) → By the coming of spring, all the flowers will be in full blossom.

* blossom〔'blasəm〕 *n.* 花；開花   *in blossom* 開花

    in full blossom 花盛開

(   ) 39. All my friends do not smoke. = _____.

【南湖高中・張有全・小考試題】

(A) None of my friends smoke

(B) Some of my friends smoke

(C) One of my friends smokes

(D) Either of my friends smokes

【答案】 B【詳見 p.658】

【解說】 部分否定

$$\left\{ \begin{array}{l} all\cdots not \\ = not\cdots all \end{array} \right\} 並非全部 \qquad \left\{ \begin{array}{l} both\cdots not \\ = not\cdots both \end{array} \right\} 並非兩者都$$

    = some   = one

(   ) 40. Tigers and lions _____ the jungle. 【建國中學・蘇士銓】

(A) live   (B) dwell

(C) inhabit   (D) reside

【答案】 C

【解說】 inhabit〔ɪn'hæbɪt〕 *v.* 居住於，是及物動詞。

$$\left\{ \begin{array}{l} \underline{inhabit} \;\; vt. \; 居住於 \\ = live \; in \\ = dwell \; in \\ = reside \; in \end{array} \right.$$

(　　) 41. The rich ＿＿＿＿ happy. 【南湖高中・張有全・小考試題】

(A) is not always 　　　　　(B) are not necessary

(C) is not necessarily 　　　(D) are not always

【答案】 D【詳見 p.192】

【解說】 not always　未必

= not necessarily〔ˈnɛsəˌsɛrəlɪ〕〔ˌnɛsəˈsɛrəlɪ〕

　　　　　　　　　　　　字典唸　　　　　美國人唸

the + *adj.*

①表「人們」，複數名詞

②表「人」，單數名詞：the accused（被告）

②抽象名詞，為單數：The beautiful is not always the good.（美未必是善。）

(　　) 42. John can't speak Chinese, ＿＿＿＿ write it. 【松山高中・郭韋狄】

(A) let alone 　　　　　(B) not to mention

(C) not to speak of 　　(D) much more

【答案】 A【詳見 p.417】

【解說】 let alone write it 是獨立不定詞片語。

let alone + 原形「何況；更不用說」

$$
\left.
\begin{array}{l}
\text{= not to mention} \\
\text{= not to speak of} \\
\text{= to say nothing of}
\end{array}
\right\} + \text{V-ing}
$$

$$
\left.
\begin{array}{l}
\left.
\begin{array}{l}
\text{= much more} \\
\text{= still more} \\
\text{= even more}
\end{array}
\right\} 肯 \\[2em]
\left.
\begin{array}{l}
\text{= much less} \\
\text{= still less} \\
\text{= even less}
\end{array}
\right\} 否
\end{array}
\right\} + 原形
$$

(B) → not to mention <u>writing</u> it

(C) → not to speak of <u>writing</u> it

(D) → much less <u>write</u> it

(　　) 43. His mouth watered ＿＿＿＿ the thought of spaghetti. 【板橋高中‧
鄭宇翔‧小考試題】

(A) at　　　　　　　　　　　(B) for

(C) in　　　　　　　　　　　(D) on

【答案】　**A**【詳見 p.555】

【解說】　at the thought of　一想到
　　　　　at the sight of　一看到
　　　　　at the sound of　一聽到
　　　　　at the smell of　一聞到
　　　　　at the touch of　一碰到
　　　　　* water〔'wɑtɚ〕v. 流口水　　spaghetti〔spə'ɡɛtɪ〕n. 義大利麵

(　　) 44. We rent the house ＿＿＿＿ month. 【育成高中‧陳昱蓉】

(A) in a　　　　　　　　　　(B) by the

(C) by a　　　　　　　　　　(D) in the

【答案】　**B**【詳見 p.219】

【解說】　by the + 數量名詞「按…計」

$$\begin{cases} \text{by the month　按月計；每月} \\ = \text{by months} \end{cases}$$
　　　　　= monthly
$$\begin{cases} = \text{month after month} \\ = \text{month by month} \\ = \text{month to month} \end{cases}$$
　　　　　= from month to month

表示數量的單位，作「以…計」解，此時 by 之後若接單數名詞須加 the，
但接複數名詞或抽象名詞時不加 the。

He is paid **by the hour**.（他所得到報酬是以鐘點計。）

The refugees come here **by thousands**.（難民來此數以千計。）

The freight was charged **by weight**.（運費以重量多少來計算。）

(　　) 45. It's been three years _____ the day since I started working here. 【建國中學・李晨瑋・學校老師考卷試題】

    (A) to   (B) with

    (C) in   (D) at

【答案】 **A**

【解說】 to the day　一天不差（整整）

= to a day

to a man　一人不差（全體）

to the letter　一字不差（徹底地）

to the minute　一分不差（準確地）

to a T　一天不差（= just right）

This place suits me to a T.

= This place is just right for me.

You must follow the order to the letter. （你必須徹底地執行這個命令。）

(　　) 46. He drank the wine _____ the last drop. 【建國中學・李晨瑋・學校老師考卷試題】

    (A) to   (B) with

    (C) in   (D) at

【答案】 **A**【詳見 p.601】

【解說】 to the last drop　一滴不漏

(　　) 47. I believe that he is the best student, _____? 【建國中學・張暘・小考試題】

    (A) isn't he   (B) don't I

    (C) do I   (D) is he

【答案】 **A**【詳見 p.7】

【解說】 附加問句 = 簡單疑問句（以主要思想為主，並不一定是主要子句）

Isn't he (*the best student*)?

Let's go, shall we (*go*)? 表「建議」

Let us go, will you (*let us go*)? 表「請求」

don't I believe so?【誤，句意不正常】

（　　）48. I believed that he was the best student, _____?【建國中學‧

張暘‧小考試題】

　　　(A) wasn't he　　　　　　　　(B) didn't I

　　　(C) did I　　　　　　　　　　(D) was he

【答案】 B【詳見 p.7】「附加問句」就是一個簡單形式的省略疑問句。

【解說】 = Before I believed that…didn't I (believe so)?

（　　）49. We don't believe that he is the best student, _____?

【建國中學‧張暘‧小考試題】

　　　(A) isn't he　　　　　　　　(B) do we

　　　(C) is he　　　　　　　　　(D) don't we

【答案】 C【詳見 p.7】

【解說】 is he the best student?

整句句意否定 → 後用肯定

中文翻譯：我們相信他不是最好的學生。

　　　　 = 我們不相信他是最好的學生。

…do we believe…?【誤，句意不合理】

（　　）50. Because the neighbors painted their house, we need to keep

_____ with the Joneses and do the same.

【格致中學‧黃程驛‧段考試題】

　　　(A) in　　　　　　　　　　(B) to

　　　(C) up　　　　　　　　　　(D) ✕

【答案】 C

【解說】 Keep up.（跟上。）

Keep up with me.（跟上我。）

keep up with the Joneses　趕時髦

　{ keep up with　跟上
　{ = keep pace with

keep pace with the Joneses【誤】

* the Joneses〔ˋdʒonzɪz〕瓊斯一家人